Margit Brinke Peter Kränzle

NEW ORLEANS TRIP

Nicht verpassen!   Karte S. 3

3 Cabildo und Presbytère [E4]
Die beiden historischen Bauten repräsentierten in spanischer Zeit Regierung und Kirche und beherbergen heute sehenswerte Ausstellungen des Louisiana State Museum (s. S. 15).

9 St. Louis Cemetery No. 1 [C4]
Die Friedhöfe verkörpern den skurril-morbiden Charakter von New Orleans. Unter den vielen Totenstädten mit ihren architektonisch beeindruckenden Grabmonumenten ist der St. Louis Cemetery No. 1 die stadtnächste und älteste (s. S. 18).

13 Royal Street [F3]
Historische Bausubstanz und prächtige Balkone machen das French Quarter aus. Während die Bourbon Street im Zeichen von Touristen und Kneipen steht, zeigt die Royal Street das spanisch-französische Erbe der Stadt (s. S. 25).

18 French Market [F4]
In den und um die historischen Markthallen am Mississippi pulsiert das Leben: Neben Lokalen wie dem legendären Café du Monde locken Läden, Stände, ein Wochenmarkt und Konzerte (s. S. 28).

29 Magazine Street und Central City [em/A9]
30 Beides sind Viertel, die immer attraktiver werden und vor allem zum Bummeln abseits des Mainstreams einladen (s. S. 40).

31 Garden District [dm]
Das im Laufe des 19. Jh. entstandene Wohnviertel der reichen amerikanischen Oberschicht in Uptown mit seinen baumbestandenen Straßen und von großzügigen Gartenanlagen umgebenen Villen verkörpert Südstaatenidylle à la „Vom Winde verweht" (s. S. 41).

33 New Orleans Museum of Art/ City Park [ci]
Das mehr als 100 Jahre alte Kunstmuseum am Rand des großen City Park gibt in einem prächtigen, tempelartigen Bau einen gelungenen Überblick über die Kunst verschiedener Epochen und Erdteile. Es gibt auch einen schönen Skulpturengarten (s. S. 43).

41 „Queen City" New Iberia
Ein Besuch in den Sümpfen im Westen der Stadt, der Heimat der Cajuns, gleicht einer Reise in eine andere Welt. Beschauliches, aber sehenswertes Zentrum ist die Kleinstadt New Iberia am Bayou Teche (s. S. 53).

Leichte Orientierung mit dem cleveren Nummernsystem
Die Sehenswürdigkeiten sind im Text und im Kartenmaterial mit derselben **magentafarbenen ovalen Nummer** ❶ markiert. Alle anderen Lokalitäten wie Geschäfte, Restaurants usw. tragen ein **Symbol und eine fortlaufende rote Nummer** (🔴1). Die Liste aller Orte befindet sich auf Seite 140, die Zeichenerklärung auf S. 144.

New Orleans auf einen Blick

Inhalt

7 New Orleans entdecken

- 8 Kurztrip nach New Orleans
- **11 Stadtspaziergang**
- *12 Orientierung*

13 French Quarter – Vieux Carré
- 14   ❶ Jackson Square ★★ [E4]
- 14   ❷ St. Louis Cathedral ★ [E4]
- 15   ❸ Cabildo und Presbytère ★★★ [E4]
- 16   ❹ Pontalba Buildings ★★ [F4]
- 17   ❺ New Orleans Pharmacy Museum ★ [E4]
- 17   ❻ Napoleon House ★ [E5]
- 17   ❼ Historic New Orleans Collection ★★ [E4]
- 18   ❽ Bourbon Street ★ [E4]
- 18   ❾ St. Louis Cemetery No. 1 ★★★ [C4]
- *19   Gentlemen Pirates*
- *20   Cities of the Dead*
- 22   ❿ Tremé und Louis Armstrong Park ★ [D2]

◁ *Skulptur im Louis Armstrong Park* ❿ *(060no Abb.: mb)*

23	⓫ Hermann-Grima House ★ [D4]	
24	*Voodoo – fauler Zauber oder was?*	
25	⓬ Madame John's Legacy ★ [E3]	
25	⓭ Royal Street ★★★ [F3]	
26	⓮ Gallier House Museum ★★ [F3]	
27	⓯ Old Ursuline Convent ★ [F3]	
27	⓰ Beauregard-Keyes House & Garden Museum ★ [F3]	
28	⓱ Old U.S. Mint ★ [G3]	
28	⓲ French Market ★★★ [F4]	
30	*Die Ära der „Paddlewheeler"*	
30	⓳ New Orleans Jazz National Historical Park ★ [F4]	
31	⓴ Riverfront/Crescent Park ★ [F4]	

32 Warehouse und Central Business District
- 32 ㉑ Canal Street ★ [D6]
- 33 *A Streetcar named Desire*
- 34 ㉒ Warehouse District ★ [E8]
- 34 ㉓ National World War II Museum ★★ [D8]
- 35 ㉔ Ogden Museum of Southern Art ★ [C8]
- 35 ㉕ Lee Circle ★ [C8]
- 35 ㉖ Gallier Hall ★ [C7]
- 36 ㉗ Superdome ★★ [A6]
- 36 ㉘ Blaine Kern's Mardi Gras World ★★★ [fm]
- 37 *Who Dat?*
- 38 *Karneval – Throw me something, Mister!*

40 Garden District/Uptown
- 40 ㉙ Magazine Street ★★ [em]
- 40 ㉚ Central City/Faubourg Lafayette ★ [A9]
- 41 ㉛ Garden District ★★★ [dm]
- 43 ㉜ St. Charles Ave./Uptown ★ [dm]

43 City Park und Umgebung
- 43 ㉝ New Orleans Museum of Art/City Park ★★★ [ci]
- 45 ㉞ Pitot House Museum ★ [di]
- 45 ㉟ Longue Vue House and Gardens ★ [bj]
- 45 *Lakeview/Lake Pontchartrain*

46 Ausflüge ins Umland
- 46 ㊱ Gretna ★ [en]
- 47 ㊲ Chalmette Battlefield and National Cemetery ★ [S. 144]
- 47 ㊳ Plantation Road ★★ [S. 144]
- 48 ㊴ Baton Rouge ★★ [S. 144]
- 50 ㊵ Lafayette – die Cajun Capital ★★ [S. 144]
- 51 *„Lâche pas la patate" – Besuch im Cajun Country*
- 53 ㊶ „Queen City" New Iberia ★★★ [S. 144]
- 54 *Tabasco – Hot Stuff*

55 New Orleans erleben

- 56 New Orleans für Kunst- und Museumsfreunde
- *58 Audubon Nature Institute*
- 60 New Orleans für Genießer
- *62 Kulinarisches New Orleans*
- 68 New Orleans am Abend
- 74 New Orleans für Shoppingfans
- 79 New Orleans zum Träumen und Entspannen
- 80 Zur richtigen Zeit am richtigen Ort
- *82 „We are so other!" – Das gibt es nur in New Orleans*

83 New Orleans verstehen

- 84 New Orleans – ein Porträt
- 85 Von den Anfängen bis zur Gegenwart
- *88 The Great Deluge – eine Stadt und ihr Kampf gegen die Fluten*
- 90 Leben in der Stadt
- 97 Musik im Blut
- *98 Satchmo – Louis Armstrong*

101 Praktische Reisetipps

- 102 An- und Rückreise
- 103 Autofahren
- 104 Barrierefreies Reisen
- 105 Diplomatische Vertretungen
- 105 Ein- und Ausreisebestimmungen
- 107 Elektrizität
- 107 Geldfragen
- *107 New Orleans preiswert*
- 108 Informationsquellen
- *110 Unsere Literaturtipps*
- 111 Internet
- 112 Maße und Gewichte
- 113 Medizinische Versorgung
- 113 Mit Kindern unterwegs
- 114 Notfälle
- 115 Öffnungszeiten, Post
- *116 Infos für LGBT+*
- 117 Sicherheit
- 118 Sport und Erholung
- *119 Southern Drawl*
- 119 Sprache
- 120 Stadttouren
- 123 Telefonieren
- 123 Uhrzeit und Datum
- 124 Unterkunft
- 128 Umgangsformen und Verhaltenstipps
- 128 Verkehrsmittel
- 130 Versicherungen
- 130 Wetter und Reisezeit

Zeichenerklärung

★★★ nicht verpassen
★★ besonders sehenswert
★ wichtig für speziell interessierte Besucher

[A1] Planquadrat im Kartenmaterial. Orte ohne diese Angabe liegen außerhalb unserer Karten. Ihre Lage kann aber wie die von allen Ortsmarken mithilfe der begleitenden Web-App angezeigt werden (s. S. 144).

Updates zum Buch

www.reise-know-how.de/citytrip/neworleans19

Vorwahlen

› für die USA: 001
› für New Orleans: 504

131 Anhang

- 132 Kleine Sprachhilfe Amerikanisch
- 136 Register
- 139 Die Autoren, Schreiben Sie uns
- 139 Impressum
- 140 Liste der Karteneinträge
- 144 Zeichenerklärung
- *144 New Orleans mit PC, Smartphone & Co.*

Tennessee Williams meinte treffend „America has only three cities, New York, San Francisco, and New Orleans. Everything else is Cleveland." „NOLA" ist nicht gewöhnlich, steht für Vielfalt, Mardi Gras, Musik und Laisser-faire – nicht nur im French Quarter, sondern auch in Marigny, Tremé, Central City oder Bywater.

Musik in der Luft

Musik gibt es an jeder Straßenecke, ein Zentrum ist Marigny mit der Frenchmen Street. Unter den zahlreichen Musikfestivals müssen es nicht unbedingt die Großen sein, auch kleinere wie das Congo Square Rhythms Festival mit dem Wettbewerb der Schul-Brass-Bands lohnen einen Besuch (s. S. 80).

Bunte Stadtviertel

Die Magazine Street [em] bietet ausgeflippte Läden, gemütliche Cafés und kreative Lokale. Die Tchoupitoulas St. im Warehouse District (s. S. 34) steht ihr kaum nach. In den etwas weiter außerhalb gelegenen Vierteln Bywater, Central City und Faubourg Lafayette mit Southern Food & Beverage Museum (s. S. 58) und NO Jazz Market (s. S. 72) ist die Gentrifizierung voll im Gange.

Weitere Neuerungen

Der Crescent Park (s. S. 31) an der Riverfront wurde neu gestaltet. Er eignet sich gut, um mit einem Leihfahrrad (s. S. 118) erkundet zu werden. Angesagt sind zurzeit schicke Markthallen (s. S. 77) wie Pythian, Dryades oder St. Roch und Künstlerkooperativen wie Second Line Arts & Antiques (s. S. 78) oder Great Artists' Collective (s. S. 59).

100no Abb.: fo©Calee Allen

NEW ORLEANS ENTDECKEN

„The Big Easy" – New Orleans trägt seinen Spitznamen nicht zu Unrecht, denn in „N'Awlins" läuft das Leben nach anderen Regeln. In dieser katholischen Enklave im protestantischen Süden stehen den über 700 Kirchen und 40 Friedhöfen ein paar Tausend Bars und Lokale gegenüber und Welten treffen aufeinander: Spuk und Vampire, altehrwürdige Traditionen und Skurrilität, Creoles und Cajuns, Alte-Welt-Flair und Moderne, Dolce Vita und Endzeitstimmung, Haute Cuisine und einfache „Po-Boys" (s. S. 64). New Orleans ist alles andere als eine gewöhnliche US-Metropole, lässt im liebenswerten Verfall und Chaos, in Dekadenz und Ignoranz bezüglich aller Konventionen jeglichen Perfektionismus vermissen und gleicht, was das Flair angeht, eher Städten in der Karibik, in Lateinamerika oder Südeuropa.

Kurztrip nach New Orleans

Die meisten Besucher kommen im Rahmen einer längeren Rundreise nach New Orleans. Oft ist die Metropole nur ein Stopp auf dem Weg durch den tiefen Süden bzw. nach Florida. Zugegeben, man kann New Orleans an ein oder zwei Tagen erkunden, da der Stadtkern überschaubar ist. Um die Stadt jedoch richtig kennenzulernen, sollte man mindestens drei Tage einplanen. Dann bleibt genügend Zeit für die wichtigsten Viertel, für eine Bootsfahrt auf dem Mississippi, einen Friedhofsbesuch und für das sehenswerte Kunstmuseum im City Park. Die Hauptattraktionen und -viertel sind überwiegend mühelos zu Fuß oder mit dem öffentlichen Nahverkehr zu erreichen. Letzterer erfordert allerdings Zeit, denn eines wird der Besucher schnell lernen: In New Orleans gehen die Uhren langsamer ...

◁ *Vorseite: Auf Entdeckungstour im French Quarter*

▷ *Am Jackson Square* ❶ *schlägt das Herz der Stadt*

1. Tag: French Quarter und Riverfront

Der erste Besuchstag gehört dem Vieux Carré, dem historischen French Quarter mit der sich zum Mississippi hin anschließenden Riverfront. Hier spielt sich das Leben ab, hier finden sich Attraktionen wie das Audubon Aquarium of the Americas (s. S. 56), Museen sowie historische Häuser und hier legen die Mississippi-Dampfer ab. Unzählige kleine Shops aller Art, Antiquitätenläden, Galerien und Boutiquen, Restaurants, Cafés und Bars bieten den perfekten Rahmen für einen genüsslichen Bummel durch die romantischen Straßen, deren Häuser begrünte Balkone vorweisen.

Vormittags

Der erste Tag beginnt „stilecht" mit einem Frühstück im **Café Du Monde** (s. S. 68) – günstig am Jackson Square, dem Ausgangspunkt für den Spaziergang durchs **French Quarter**, gelegen. Erster Besichtigungspunkt ist der Platz mit den umliegenden Bauten, darunter **St. Louis Cathedral** ❷, **Cabildo** und **Presbytère** ❸ mit dem

Kurztrip nach New Orleans

Louisiana State Museum. Danach lässt man sich durch die Straßen des French Quarter treiben. Als Alternative bietet sich auch der auf S. 11 beschriebene **Stadtspaziergang** an.

Mittags und nachmittags

Zur Mittagspause empfiehlt sich z. B. ein Imbiss im **French Market** ⓲ oder eine *Muffuletta* in der **Central Grocery** (s. S. 66). Entlang der **Riverfront** wartet dann das **Audubon Aquarium of the Americas** (s. S. 56). Gelegenheit zum Shoppen gibt es ebenfalls: z. B. in der **Jax Brewery** (s. S. 75) oder im Outlet-Shoppingcenter **Riverwalk** (s. S. 77).

Abends und nachts

Am Abend stürzt man sich in das Getümmel rund um die **Bourbon Street** ❽ mit ihren Bars, günstigem Bier oder Cocktails aus Plastikbechern, Straßenbands und Shops. Musikfreunde sind besser in den legendären **Klubs** in Faubourg-Marigny aufgehoben, v. a. an der Frenchmen Street, z. B. im **Snug Harbor** (s. S. 71) oder im **Blue Nile** (s. S. 70).

2. Tag: CBD und Garden District

Der zweite Besuchstag beginnt im pulsierenden Geschäftszentrum der Stadt, dem **Central Business District (CBD)**, und im alten Industrieviertel von New Orleans, dem **Warehouse District (WHD)** ㉒, ehe man nachmittags in eine andere Welt, den **Garden District** ㉛, eintaucht. Dieser war ursprünglich das Wohnviertel der reichen Amerikaner und bietet prächtige Architektur.

Vormittags und mittags

Zum Frühstück gibt es typische Südstaatenkost bei **Mother's** (s. S. 66), z. B. Schinken *(baked ham)* und *biscuits*. Anschließend spaziert man durch den **CBD** mit der Canal Street ❷❶ als Hauptachse, an der das **Audubon Insectarium** (s. S. 56) zum Besuch einlädt. Im **Warehouse District** ❷❷ stehen dann sehenswerte Museen wie das **Ogden Museum of Southern Art** ❷❹ oder das **National World War II Museum** ❷❸ – Letzteres mit empfehlenswertem Restaurant und „Soda Shop" – zur Auswahl.

Nachmittags und abends

Mit der St. Charles Streetcar geht es vom CBD in den **Garden District** ❸❶. Hier lernt man auf einem Spaziergang das andere Gesicht der Mississippi-Metropole, das „Südstaatenflair", kennen. Nach einem Abstecher zum **Southern Food & Beverage Museum** (s. S. 58) im aufstrebenden Central City – mit **NO Jazz Market**, einer Jazzbühne (s. S. 72), oder dem **Dryades Market** (s. S. 40) – könnte der Bummel an der **Magazine Street** ❷❾ enden, wo sich nordwärts außergewöhnliche Shops, Boutiquen und Cafés zum Bummel aufreihen.

Wer nicht schon im Toups South (s. S. 64) im Southern Food & Beverage Museum gegessen hat, kann den Tag in einem der zahlreichen Lokale an der Magazine St. oder im Warehouse District ausklingen lassen. Zurück im French Quarter gibt es dann in der Carousel Bar (s. S. 69) im Hotel Monteleone einen Absackerdrink.

3. Tag: Kunst, Friedhöfe und der Mississippi

Am dritten Besuchstag steht die Umgebung der Stadt im Mittelpunkt, dazu Blaine Kern's Mardi Gras World und eine Mississippi-Rundfahrt mit dem Schaufelraddampfer.

Vormittags und mittags

Nach dem Frühstück geht es mit der Canal Streetcar in den Norden der Stadt, in den **City Park** ❸❸. Hier wartet unter anderem das sehenswerte **New Orleans Museum of Art** mit seinem Sculpture Garden auf Besucher. Für einen Snack lohnt das Museumscafé. Alternativ könnte man für den Vormittag **Blaine Kern's Mardi Gras World** ❷❽ einplanen.

Nachmittags und abends

Vor oder nach einer **Schiffsrundfahrt** mit der Natchez oder der Creole Queen (s. S. 122) lohnt ein Friedhofsbummel. Am nächsten zum French Quarter gelegen, gibt der **St. Louis Cemetery No. 1** ❾ einen guten Eindruck von einer Totenstadt, die allerdings nur noch in Gruppen im Rahmen (teurer) Touren besichtigt werden kann. Wer das **New Orleans Museum of Art** ❸❸ oder die **Mardi Gras World** ❷❽ noch nicht gesehen hat, könnte das vor 17 Uhr noch nachholen. Abends bietet sich die letzte Gelegenheit, gut zu essen – z. B. bei Borgne (s. S. 63) – und in einem der Klubs die Musikszene der Stadt zu erleben.

Wer mehr Zeit hat ...

Auf der Weiterreise oder als eigener Abstecher würde sich die Besichtigung des einen oder anderen Plantagenhauses lohnen, die sich zwischen New Orleans und Baton Rouge am Mississippi entlang der **Plantation Road** ❸❽ aufreihen. Auch **Baton Rouge** ❸❾ ist einen Abstecher wert, erst recht aber das Umland von New Orleans: das sich westlich bis nach Texas hinein ausbreitende **Cajun Country** mit sehenswerten Orten wie **New Iberia** ❹❶ oder **Lafayette** ❹⓿.

Stadtspaziergang

Idealer Ausgangspunkt für einen **Bummel durch die Altstadt** von New Orleans, das **French Quarter** oder **Vieux Carré**, ist der zentrale **Jackson Square** ❶. Dominiert wird der Platz von der **St. Louis Cathedral** ❷, die wiederum von **Cabildo** ❸ – ehemals Regierungssitz des spanischen Gouverneurs – und **Presbytère** ❸ – früher Sitz der katholischen Diözese – gerahmt wird, die beide Teile des sehenswerten **Louisiana State Museums** beherbergen. Im Osten und Westen wird der Jackson Square von den **Pontalba Buildings** ❹ flankiert – das **1850 House** im Lower Pontalba Building gibt Besuchern Einblick in diese historischen Wohnbauten.

Vom Jackson Square aus schlendert man auf der Chartres St. vorbei am **New Orleans Pharmacy Museum** ❺ und **Napoleon House** ❻ flussaufwärts bis zur St. Louis St. und wendet sich hier nach rechts. Der St. Louis St. folgend kreuzt man die **Royal** und die **Bourbon Street** ❽, die zentralen Achsen der Altstadt, ehe man weiter nordwärts den berühmten St.

Routenverlauf im Stadtplan
Der hier beschriebene **Spaziergang** ist mit einer farbigen Linie im Stadtplan eingezeichnet.

Louis Cemetery No. 1 ❾ erreicht, der zentralsten der berühmten „Cities of the Dead". Vorbei am **Louis Armstrong Park** geht es in das afroamerikanische Viertel **Faubourg Tremé** ❿, ehe man schließlich den Ostteil des French Quarters erkundet. Hier präsentiert sich die Altstadt nicht nur ruhiger und idyllischer, sondern wartet auch mit interessanten Bauten auf, z. B. dem **Hermann-Grima House** ⓫, **Madame John's Legacy** ⓬, dem **Gallier House** ⓮ oder dem **Old Ursuline Convent** ⓯ auch sehenswerter, was

Kunstvoll geschmiedete Balkone im Vieux Carré (s. S. 13), der Altstadt

Orientierung

Mississippi und Lake Pontchartrain begrenzen New Orleans auf einen etwa 8 bis 12 km breiten Korridor. Es wäre allerdings nicht New Orleans, hieße hier nicht alles anders: Begriffe wie **Vieux Carré, Downtown, Uptown, Downriver, Upriver, Lakeside** *oder* **Riverside** *teilen die Stadt ein – Himmelsrichtungen sind hier außer Kraft gesetzt. Also aufgepasst:* **up/down** *bezieht sich auf die Fließrichtung des Mississippi.* **Uptown** *liegt also im Westen,* **Downtown** *im Osten,* **Lakeside** *im Norden (am See), und* **Riverside** *im Süden (am Mississippi). So liegt z. B. alles am Fluss oder die Straßen, die dorthin führen, „riverside", und steht man am Jackson Square und will durch das French Quarter zum St.-Louis-Friedhof, geht man nicht nach Norden, sondern Richtung „lakeside".*

Eine der wichtigsten Straßen der Stadt ist die **Canal St.** ㉑*, sie trennt die Alt- von der Neustadt und an ihr wechseln die Straßen ihre Namen. Die Nummerierung der Häuser erfolgt nach Blocks (1. Block 1-100, 2. 101-200 usw.). Besonders einfach ist die Orientierung im* **French Quarter**, *da das ca. 1400 x 800 m große Areal als Gitternetz angelegt wurde. Der* **ältes-te geschlossene historische Stadtkern** *der USA, seit 1936 unter Denkmalschutz, umfasst etwa 90 Blocks und wird begrenzt durch Canal St., Esplanade Ave. [D1-G3], Rampart St. [C4-E2] und den Mississippi. Das Zentrum bildet der Jackson Square* ❶.

Sehenswerte Viertel *außerhalb von* **French Quarter und Marigny** *sind der* **Garden District** ㉛ *und* **Uptown** ㉜ *mit Audubon Park und Tulane University sowie der* **City Park** ㉝. *Die feinen Viertel der Stadt liegen in Uptown.* **Back o'town** *– der „Arsch der Stadt" – befindet sich hingegen nördlich des French Quarter, in* **Tremé** ❿ *bzw.* **Storyville** *– einem traditionell schwarzen Viertel.*

Auf der **Westbank**, *dem Westufer des Mississippi, lohnt die Ortschaft Gretna* ㊱ *einen Ausflug, während sich auf der* **Eastbank** *der größte Vorort von New Orleans, Metairie, sowie Kenner (Airport) und, flussabwärts, Chalmette mit dem berühmten Schlachtfeld von 1815* ㊲ *befinden. Die sogenannte* **North Shore**, *jenseits des Lake Pontchartrain (Slidell, Covington, Mandeville) wird v. a. von Pendlern bewohnt und ist über die 40 km (!) lange Causeway Bridge zugänglich.*

Architektur und kunstvoll geschmiedete Balkone angeht.

Vorbei am **French Market** ⓲, einem der pulsierenden Zentren der Altstadt mit Gastronomie und Läden, kleinen Parkanlagen und Straßenmusik, und dem **New Orleans Jazz NHP** ⓳ kann man schließlich am **Mississippi** den Trubel in der Altstadt angesichts des scheinbar träge dahinfließenden „Ol' Man River" für einen Augenblick vergessen und den Altstadtrundgang am hier gelegenen **Aquarium of the Americas** (s. S. 56) oder im nahen Einkaufszentrum, der **Outlet Collection at Riverwalk** (s. S. 77), ausklingen lassen.

Den gesamten Spaziergang kann man – je nach Gehgeschwindigkeit und Zahl und Länge der Besichtigungen – in ein paar Stunden, besser aber gemütlich an einem Tag absolvieren.

French Quarter – Vieux Carré

„Laissez les bons temps rouler – Let the good times roll!" – der erste Eindruck vom French Quarter bestätigt alles, was man über die Stadt gehört hat: Hier darf ein Amerikaner das tun, was ihm woanders verwehrt ist, z. B. die offene Zurschaustellung nackten Fleisches oder der Alkoholgenuss in der Öffentlichkeit. Hat man jedoch die Bourbon Street hinter sich gelassen, zeigt sich das Vieux Carré von einer morbideschönen und weltweit einzigartigen Seite.

In die katholische Hochburg der USA reisen viele Amerikaner gerne, schließlich darf man sich hier so austoben wie sonst vielleicht nur noch in Las Vegas. Früh am Morgen, wenn die Reinigungstrupps das Pflaster abgespritzt und damit die Spuren der Nacht beseitigt haben, lässt sich beim Bummel durch die Gassen das French Quarter von einer anderen Seite kennenlernen.

Bekannt von Kalenderbildern und Fotos ist die **typische Bauweise** im French Quarter: Eingeschossige, schmale *cottages*, wie sie auch in der Karibik zu finden sind – v. a. entlang Orleans, Burgundy oder Dauphine St. –, bilden den einen Typus, zwei- oder dreigeschossige Häuser in europäischer Bauweise mit ihren berühmten schmiedeeisernen Balkonen den anderen. Sie prägen v. a. das Herz der Stadt um Bourbon und Royal Street.

Wer glaubt, im **Vieux Carré** träte die französische Vergangenheit der Stadt zutage, irrt gewaltig. Die französische Komponente mag zwar die Stadt und ihre Bewohner bis heute prägen, was Sprache und Lebensweise angeht, doch das architektonische Erscheinungsbild ist insgesamt eher spanisch als französisch. 1788 und 1794 zerstörten große Brände viel von der Originalbausubstanz und das anschließende Wiederaufbauprogramm fiel in eine Epoche spanischer Herrschaft, entsprechend ist der Baustil. Korrekt müsste das French Quarter demnach auch „**Spanish Quarter**" heißen.

Sein besonders Flair erhält das Viertel durch die kaum 4000 **Vieux-Carré-Bewohner** unterschiedlicher sozialer Schichten, Rassen und Herkunft – ausgerissene Jugendliche gehören ebenso dazu wie „Quarter-Snobs", Intellektuelle, Künstler und Alteingesessene. Diese bunte Mischung spürt man besonders jenseits der touristischen Zentren – *downriver*, etwa östlich der St. Ann Street, wo das French Quarter in ein ruhiges Wohnviertel übergeht.

EXTRAINFO: Öffentlicher Nahverkehr im French Quarter

Das French Quarter wird von Bussen und Bahnen nur am Rand passiert. Es kann mit der **Riverfront-Streetcar-Linie** bzw. den **Bussen Nr. 5 und 55** (mehrere Haltestellen zwischen Canal St. und French Market) oder mit der **Canal bzw. St. Charles Streetcar** (Stopps an der Canal St. zwischen Harrah's Casino/Riverfront und N Rampart/Basin St.) erreicht werden.

Am Nordrand des French Quarter gibt es zudem eine Straßenbahnlinie, die entlang der Rampart St. von der Canal St. (W) Richtung Marigny (Elysian Fields Ave.) im Osten führt.

French Quarter – Vieux Carré

❶ Jackson Square ★★ [E4]

Der Jackson Square ist das pulsierende Zentrum des French Quarter. Bis in die 1850er-Jahre diente er als Parade- und Aufmarschplatz und hieß deshalb auch **Place d'Armes**. 1856 wurde der Kern in eine ansehnliche, begrünte und nachts abgesperrte Anlage verwandelt, woran Baroness de Pontalba (s. S. 16) maßgeblich beteiligt war.

Hoch zu Ross präsentiert sich in der Mitte des begrünten Platzes **Andrew Jackson**, Held der Schlacht von New Orleans 1815. Clark Mill fertigte das **Bronzestandbild** aus 60 Teilen, nachdem er drei Jahre herumexperimentiert hatte. Im Februar 1934 fehlte dann plötzlich der Kopf der Statue, wurde aber wiedergefunden und vorsichtshalber gleich als Kopie in Gips abgegossen.

Die **St. Louis Cathedral** ❷ überragt den Platz und wird wiederum von Cabildo und Presbytère ❸ gerahmt. Besonders am Wochenende herrscht rings um den Platz ein **buntes Treiben** von Besuchern und Einheimischen, Musikgruppen und Künstlern, Wahrsagern und Akrobaten. Die bei Dunkelheit geschlossene Grünanlage im Zentrum gleicht einer Oase der Ruhe und Beschaulichkeit.

KLEINE PAUSE

Kaffeepause

Den Besuch von New Orleans könnte man nicht besser beginnen als mit dem Besuch einer der legendären Institutionen der Stadt, dem 24 Stunden geöffneten **Café Du Monde** (s. S. 68) am Rand des Jackson Square. Bei der Eröffnung 1860 diente es vor allem der Verköstigung der Marktfrauen und Hafenarbeiter, heute genießt man am besten früh am Morgen, dann ohne Warteschlangen und Andrang, eine Portion **Beignets** – drei puderzuckerbestäubte, frischgebackene, ungefüllte Krapfen – und dazu einen mit Zichorie angereicherten **Café au lait**.

027no Abb.: mb

△ *Im Café Du Monde gibt es großartige Beignets und Milchkaffee*

❷ St. Louis Cathedral ★ [E4]

Die **St. Louis Cathedral** wurde 1794 nach dem zweiten großen Feuer von 1788 erbaut. Finanziert wurde sie von Don Andreas Almonester de Roxas, dessen Grab sich im Inneren befindet. Der Vorgängerbau stammte aus den 1720er-Jahren und von Stadtbaumeister Pauger. Die Kirche, besonders ihre Fassade, durchlief 1851 eine Modernisierung im Greek Revival Style, seither gilt sie als eine der meistfotografierten Kirchen im Land. Als **Sitz der römisch-katholischen Erzdiözese** von New Orleans ist sie zugleich eine der wenigen Bastionen des Papstes im ansonsten protestantischen Süden der USA.

Hinter der Kathedrale liegt ein kleiner Park, der **St. Anthony's Garden** – ursprünglich ein Duellierplatz –, der von einer der Hauptachsen des French Quarter, der **Royal Street** ⓭ begrenzt wird. Die Straße gilt als Mekka der Kunst- und Antiquitätenliebhaber. Östlich der St. Ann Street [E4], wo die Zahl der Geschäfte deutlich abnimmt, fallen konzentriert die für die Stadt so typischen Balkone ins Auge.

❸ Cabildo und Presbytère ★★★ [E4]

Flankiert wird die St. Louis Cathedral von zwei Bauten, die während der spanischen Epoche die beiden Mächte repräsentierten: die weltliche residierte im Cabildo, dem Sitz des Gouverneurs, und die kirchliche im Presbytère. Heute befinden sich in beiden historischen Bauten sehenswerte Ausstellungen.

Im nördlich der Kirche gelegenen **Cabildo**, 1795 bis 1799 als Regierungssitz des spanischen Gouverneurs erbaut, befand sich einst die spanische Stadtverwaltung. Nach dem Louisiana Purchase von 1803 diente das Gebäude bis zum Bau der City (Gallier) Hall fünf Jahrzehnte als Rathaus. Mitte des 19. Jh. wurde das Cabildo auf Wunsch der Baroness de Pontalba (s. S. 16), der die Wohnbauten um den Jackson Square ❶ gehörten, renoviert.

Seit 1908 Teil des **Louisiana State Museum** befindet sich heute in dem Gebäude ein vielseitiges und gut aufgemachtes **historisches Museum**. Es zeigt Exponate aller Art und Schautafeln von der Zeit der Ureinwohner über die Eroberung und Kolonisation bis zur Rekonstruktionsphase nach dem Bürgerkrieg in der zweiten Hälfte des 19. Jh. Besonders den militärischen Auseinandersetzungen – wie dem Battle of New Orleans, dem Mexican und dem Civil War – und dem kulturell-ethnischen Aspekt (Leben in der Stadt und auf dem Land) wird viel Platz eingeräumt.

◰ *Die St. Louis Cathedral am Jackson Square*

EXTRATIPP
Buchladen für Literaturfreunde

Die schmale Gasse, die zwischen Cabildo und St. Louis Cathedral zur Royal St. führt, die **Pirate's Alley**, ist in Literaturkreisen berühmt: Im Haus Nr. 624 verbrachte einer der berühmtesten Schriftsteller des Südens, **William Faulkner**, einige Jahre seines Lebens. Heute lädt hier der kleine Buchladen **Faulkner House Books** (s. S. 76) zum Schmökern ein.

Ausgestellt sind überdies Gemälde, besonders Porträts großer Persönlichkeiten v. a. des 18. Jh., und außerdem die Totenmaske Napoleons. Insgesamt trägt eine gute Mischung aus Relikten, kurzen Texten, Grafiken, Karten, Bildern, Kurzvideos und Modellen dazu bei, dass der Besucher einen kurzweiligen Einblick in die Geschichte der Stadt und der Region erhält. Von der Flaggengalerie (10 Flaggen wehten schon in New Orleans!) bietet sich zudem ein guter Ausblick auf den Jackson Square. Im dem Museum angegliederten **Arsenal**, 1839 als Waffenlager und Gefängnis entstanden, gibt es Wechselausstellungen zu sehen.

Das östlich der Kirche, ebenfalls an der Nordseite des Platzes stehende **Presbytère** wurde 1791 als Gegenstück zum Cabildo und Sitz der katholischen Diözese geplant, aber erst über 20 Jahre später fertiggestellt. 1853 gelangte das Gebäude in den Besitz der Stadt und diente bis 1911 als „Casa Curial" (Gerichtsgebäude). Heute ist der Bau ebenfalls Teil des **Louisiana State Museum.** Im Erdgeschoss befindet sich die sehenswerte Ausstellung „**Living with Hurricanes: Katrina & Beyond**", die sich eindrucksvoll mit den Ereignissen vor, während und nach den Hurricanes Katrina und Rita im Herbst 2005 beschäftigt.

Im Obergeschoss lohnt sich eine **Mardi-Gras-Dauerausstellung.** Sie gibt einen Überblick über die Geschichte des Karnevals und die besonderen Gepflogenheiten in New Orleans. Mittels Kostümen, Masken, Filmen, Hörstationen, Modellen und Nachbauten werden Bälle und Paraden, verschiedene Gesellschaften und Rituale erklärt. Auch den ganz andersartigen Karnevalsbräuchen im Cajun Country ist eine eigene Abteilung gewidmet.

Zum **Louisiana State Museum** gehören außerdem die Old U.S. Mint ❼ mit dem Jazz Museum, ein Teil der Pontalba Buildings ❹ (1850 House) sowie Madame John's Legacy ❶❷.

› **Cabildo/Presbytère,** 701 und 751 Chartres St., http://louisianastatemuseum.org, Di.–So. 10–16.30 Uhr, je $ 9/6.

❹ Pontalba Buildings ★★ [F4]

Die den Jackson Square ❶ im Osten und Westen flankierenden Pontalba Buildings ließ **Micaela Almonester Baroness de Pontalba** 1849 bis 1851 nach Plänen der damaligen „Stararchitekten" James Gallier Sen., Henry Howard sowie Samuel Stewart auf dem von ihrem Vater Don Andres Almonester geerbten Land erbauen. Die emanzipierte Baroness hatte sich zuvor – trotz ihrer sieben Kinder – von ihrem Ehemann getrennt und Frankreich verlassen, um ihr Erbe in Besitz zu nehmen. Die selbstbewusste Dame ließ dabei auch gleich den Place d'Armes (Jackson Square) nach französischem Vorbild umgestalten und setzte alles daran, den alten Teil der Stadt als Sitz alteingesessener Kreolen-Familien zu erhalten.

Am Jackson Square entstanden zwei **Reihenhausblocks** mit jeweils vier Stockwerken: Ganz oben wohnten die **Sklaven** und im Erdgeschoss befanden sich **Läden,** modern mit Schaufenstern und Zypressenholzfußböden eingerichtet und ohne Verbindung zu den darüberliegenden **zwei Wohnetagen.** Erstmals wurden bei den Bauarbeiten industriell hergestellte Baumaterialien verwendet. Die **fortschrittliche Innenausstattung** mit Gasleitung, Wasserversorgung und WCs sowie separaten Klingeln sorgte dafür, dass diese Wohnungen bald zur feinsten Adresse der Stadt wurden.

1921 erwarb der Philanthrop William Ratcliffe Irby den Komplex und vermachte ihn sechs Jahre später dem Louisiana State Museum. Das Upper Pontalba Building gelangte kurz danach in städtische Hand. 1955 führten beide Besitzer eine groß angelegte Renovierung durch, wobei einige Räume mit zeitgenössischen Möbeln der 1850er-Jahre ausgestattet und zur Besichtigung freigegeben wurden.

Zu besichtigen ist das **1850 House** im Lower Pontalba Building. Hier vermittelt die ehemalige Wohnung des Ehepaares A. A. und Isaac Sovia einen guten Eindruck vom Luxus der einstigen Mietshäuser. Die Möblierung, teils Rokoko, teils gotisierend oder im Empirestil, und die Marmorimitationen, z. B. an den Kaminen, spiegeln den geschmackvollen Lebensstil der kreolischen Aristokratie wider.

› Lower Pontalba Building/1850 House, 523 St. Ann St., http://louisianastatemuseum.org/museum/1850-house, Di.–So. 10–16.30 Uhr, $3. Ausgangspunkt von Friends of the Cabildo Walking Tours (s. S. 120).

❺ New Orleans Pharmacy Museum ★ [E4]

Vom Jackson Square sind es nur wenige Schritte zum New Orleans Pharmacy Museum. Der **erste lizensierte Apotheker der USA**, Louis J. Dufilho Jr., eröffnete hier, in einem kreolischen Stadthaus, 1823 eine Apotheke mit Kräutergarten, in der es auch Voodoo-Artikel gab – ein wichtiges Teilgebiet der damaligen Pharmazie.

› 514 Chartres St., Di.–Sa. 10–16 Uhr, $5, www.pharmacymuseum.org

❻ Napoleon House ★ [E5]

Das etwas baufällig wirkende Haus nur wenige Schritte weiter nennt man Napoleon House. 1797 wurde es für Bürgermeister Nicholas Girod erbaut und 1814 mit einem **Anbau für den im Exil lebenden Napoleon** versehen. Er sollte hier, von einigen ehemaligen Offizieren aus seinem Verbannungsort St. Helena befreit, Zuflucht finden. Allerdings sah Napoleon die Neue Welt nicht mehr, er starb vor dem Eintreffen seiner Befreier. Heute befindet sich hier eine empfehlenswerte **Bar**, die berühmt für den Drink „Pimm's Cup" ist.

› 500 Chartres St., heute Napoleon House Bar & Restaurant, www.napoleonhouse.com, So.–Do. 11–22, Fr./Sa. 11–23 Uhr

❼ Historic New Orleans Collection ★★ [E4]

In der parallel zur Chartres St. verlaufenden Royal St. liegt die Historic New Orleans Collection, ein Forschungszentrum mit Bibliothek, Archiv, Leseraum, Ausstellungsgalerien und Shop. Sie besteht aus mehreren Gebäuden aus dem 18. Jh., wobei das **Merieult House** von 1792 den Kernbereich bildet. Jean François Merieult, ein reicher Händler, hatte dieses Haus zwei Jahre vor dem großen Feuer 1794 erbauen lassen und wie durch ein Wunder blieb es unversehrt. Einer Legende nach soll Napoleon der Frau des Besitzers für ihre prächtigen roten Haare einmal ein Schloss in Frankreich geboten haben, da er dem türkischen Sultan eine rote Perücke schuldete.

Angrenzend an den gut sortierten Laden sind im Haus die **Williams Gallery** (Wechselausstellungen, gratis) und die sehenswerten **Louisiana History Galleries** mit Infos zur und Originalstücken aus der Stadtgeschichte im Obergeschoss untergebracht. Zum Baukomplex gehören außerdem das **Counting House** von 1794/95 (Veranstaltungen und kostenlose Wechselausstellungen) sowie die **Williams Residence** von 1888 am rückwärtigen Ende des Innenhofes. Dieses Wohnhaus der Familie Williams, die in den 1940er-Jahren eingezogen war, ist exquisit ausgestattet. Ihrem Engagement ist es zu verdanken, dass das French Quarter wieder zur guten Adresse wurde. Zum Komplex gehört auch das 1825 erbaute **Perrilliat House** in der Chartres Street.

› 533 Royal St., www.hnoc.org, Di.–Sa. 9.30–16.30, Royal St. Complex auch So. 10.30–16.30 Uhr, Touren (je $ 5) durch die Williams Residence Di.–Sa. 10/11/14/15, So. 11/14/15 Uhr. Zum Chartres Street Campus gehört neben dem Williams Research Center (410 Chartres St.) und Addition, ebenfalls mit Wechselausstellungen, das Perrilliat House (400 Chartres St.) mit den Laura Simon Nelson Galleries for Louisiana Art.

❽ Bourbon Street ★ [E4]

„New Orleans kann dir die Leber ruinieren und das Blut vergiften", schrieb die Krimiautorin Julie Smith einmal – in der **Bourbon St.** versteht man schlagartig, was sie meint, vor allem nach Einbruch der Dunkelheit. Bar reiht sich an Bar, Spelunke an Spelunke und leicht bekleidete Damen versuchen, Kunden anzulocken. Zu den alteingesessenen Kneipen gehört das **Old Absinthe House** (Nr. 240), 1798 bis 1806 erbaut und seit 1826, lediglich mit einer kurzen Unterbrechung während der Prohibition, kontinuierlich in Betrieb. 1870 wurde hier der berühmt-berüchtigte Absinthe Frappé kreiert.

❾ St. Louis Cemetery No. 1 ★★★ [C4]

New Orleans ist nicht nur eine Metropole des Jazz, sondern auch der Friedhöfe, der „Cities of the Dead". Mark Twain spöttelte einmal „New Orleans has no real architecture except that which is found in its cemeteries". Insgesamt 42 von ihnen sind über New Orleans verteilt und ihre monumentale, aufwendige Grabarchitektur und Weitläufigkeit ließen sie zu eigenen Städten innerhalb der Stadt werden.

Am zentralsten gelegen ist der St. Louis Cemetery No. 1. Ehe man ihn durch das Haupttor an der Basin St. betritt (nur in kostenpflichtiger Gruppentour möglich), lohnt ein Blick in den **International Shrine of St. Jude – Our Lady of Guadalupe Chapel** (411 N Rampart St.), die älteste noch erhaltene Kirche von New Orleans. 1826/27 in Dankbarkeit für eine überstandene Gelbfieberepidemie errichtet, diente sie bis 1860 als Beerdigungskapelle für die nahegelegenen Friedhöfe. Innen, am Haupteingang rechts in der Ecke, befindet sich ein besonders kurioses Stück: Die Statue eines Heiligen aus dem 19. Jh., der als „St. Expédite" bekannt wurde. Der Name rührt daher, dass niemand etwas mit der Figur, die in einer Kiste verpackt ankam, anfangen konnte. So übertrug man einfach die Kistenaufschrift „Expédite" (Schnellsendung) auf den Inhalt.

An der Nordseite der Basin St. liegt der legendäre erste Friedhof der Stadt, **St. Louis Cemetery No. 1**, der 1789 als Nachfolger des alten St. Peter Street Cemetery entstanden ist. Die berühmte Voodoo-Priesterin Marie Laveau wurde hier – unter dem Namen eines ihrer Ehemänner, Luis Christopher Deuminy de Glapion – ebenso bestattet wie Ex-Bürgermeis-

Gentlemen Pirates

1780 in Südwestfrankreich geboren und in die Westindies ausgewandert, gelangten **Jean** und sein älterer Bruder **Pierre Lafitte** um 1802 ins Louisiana Territory, wo sie unter spanischem Deckmantel ein florierendes Schmuggler- und Pirateriegeschäft betrieben. Ihre Operationsbasis war Grand Terre Island. Die Schmuggelware und das gekaperte Gut wurden von dieser Insel durch die Sumpfregion südlich der Stadt nach New Orleans gebracht.

1814 versuchten die Briten den gewieften Geschäftsmann Jean Lafitte mit Geld zu bestechen und boten ihm einen Job bei der Royal Navy an: Er sollte ihnen helfen, die Stadt zu erobern. Doch Lafitte informierte die US-Behörden über die geplante britische Invasion und US-General Andrew Jackson engagierte daraufhin sofort selbst die „Gentlemen Pirates", mit deren Hilfe die Briten beim Battle of New Orleans am 8. Januar 1815 geschlagen wurden.

Plötzlich wurden die Piraten-Brüder als Patrioten verehrt – und verlagerten ihre Schmuggelgeschäfte nach Galveston Island, ins damals noch spanisch regierte Texas. Einer Legende nach soll Jean, als er versehentlich ein amerikanisches Schiff kapern wollte, vor Scham auf Nimmerwiedersehen davongesegelt sein und einen bis heute unentdeckten Piratenschatz hinterlassen haben …

❶ *[E3] **Lafitte's Blacksmith Shop**, 941 Bourbon St., tgl. 10.30-ca. 3 Uhr, www.lafittesblacksmithshop.com. Das baufällig wirkende Haus, das einmal den legendären Lafitte-Brüdern gehört haben soll, beherbergt heute eine beliebte Bar.*

Früher angeblich im Besitz der Piraten-Brüder, heute eine Bar: Lafitte's Blacksmith Shop

Cities of the Dead

Als New Orleans 1718 gegründet wurde, war es noch üblich, die Toten in der Kathedrale oder entlang dem Flussufer zu bestatten. Schon sieben Jahre später verzeichnete ein alter Plan dann einen ersten Friedhof an der St. Peter St., zwischen Burgundy und Rampart St. Nachdem New Orleans 1762 unter spanische Herrschaft geraten war, beschloss der Stadtrat 1788 die Schließung des alten, überfüllten Friedhofs und ein Jahr später wurde **St. Louis Cemetery No. 1** ❾, *der „andalusische Friedhof", geweiht.*

Hier kam es, im Unterschied zum ersten Friedhof, ausschließlich zu überirdischen Bestattungen, sei es in Grabbauten oder in Mauerschächten. Das Verfahren des **„above ground burial"** - *ausschließlich in New Orleans und Südlouisiana bis heute üblich - entsprach nicht nur südländischen Gewohnheiten, sondern hatte v. a. praktische Gründe: Schlammige Böden, häufige Überschwemmungen, starke Regenfälle und ein hoher Grundwasserspiegel hatten immer wieder zur Folge, dass eingegrabene Tote unfreiwillig ans Tageslicht gelangten. Deshalb wurden anfangs solide, einfache, weiß verputzte Grabhäuschen aus Ziegeln zur Regel. Sie stehen dicht an dicht, sind aber unregelmäßig angeordnet und bergen die übereinandergestapelten Särge von mehreren Familienangehörigen.*

Neben **Familien- und Gemeinschaftsmausoleen** *gab es mehrstöckige Bestattungswände für das einfache Volk. Dabei wurde ein Gewölbe gleich für mehrere Begräbnisse genutzt und weiterverwendet. Kam „Nachschub", schob man die sterblichen Überreste des Vorgängers einfach in den hinteren Schachtteil. Aus ökonomischen Gründen war es üblich, die Überreste nach ein bis zwei Jahren platzsparend zu verbrennen.*

Gemäß der Bevölkerungszusammensetzung waren die Friedhöfe in erster Linie den Katholiken vorbehalten, die Protestanten hatten sich 1805 in der Girod St. einen eigenen Totenacker angelegt, 1828 entstand zudem ein jüdischer Friedhof. Bewirkt durch das Bevölkerungswachstum im 19. Jh. entstanden 1823 **St. Louis No. 2** *(Tremé, N Robertson St.) und 1833 der* **Lafayette Cemetery** *im Garden District* ㉛. *Hier soll der Vizepräsident der Kaufhauskette Neiman-Marcus 1980 getraut worden sein. Er hatte alle Hochzeitsgäste aufgefordert, sich* schwarz zu kleiden und das Motto ausgerufen: „Bury the past and get married at the same time."

Mit wachsendem Reichtum und Wohlstand wurden die Grabmonumente immer ausgefallener und prunkvoller. Besonders prächtige Beispiele finden sich auf dem **Metairie Cemetery**, dem größten Friedhof der Stadt. Hier machten sich **Grabarchitekten** einen Namen, z. B. Jacques Nicolas Bussière de Pouilly (von 1833 bis zu seinem Tod 1875 in New Orleans tätig), die Brüder Freret, aber auch renommierte Baumeister wie James Gallier und Henry Latrobe. Als Inspirationsquelle benutzte Pouilly seine im Friedhof Père Lachaise in Paris (1804) angefertigten Skizzenbücher. Die Miniaturgebäude waren **Abbilder reeller Bauten**, entstanden in den verschiedensten Stilen – besonders beliebt war der Classical Revival Style – und wurden sehr detailreich und aufwendig mit Schmiedeeisen und Skulpturen geschmückt. Das bauliche Spektrum reicht von ganzen Tempeln über eine Nachbildung des Turms der Winde (Athen) und eine gotische Kapelle bis hin zu Pyramiden, Obelisken und Sarkophagen.

Ungefähr 7000 Gräber verteilen sich auf ein Parkareal nach Art englischer Gärten. Der Friedhof war 1872 auf dem ehemaligen Metairie Race Course von 1838 entstanden, die ehemalige Rennbahn ist heute noch an dem Oval der Straße, die um den Friedhof herumführt, erkennbar.

Heute bilden die insgesamt 42 **Cities of Dead** eine besondere Attraktion der Stadt. Abgesehen von den relativ zentral gelegenen Friedhöfen St. Louis No. 1 und 2 sowie dem Lafayette Cemetery gibt es mehrere im Bereich um den City Park: **St. Louis Cemetery No. 3** mit Gräbern alter Kreolenfamilien und der Ruhestätte des berühmten Fotografen Ernest J. Bellocq, **Greenwood Cemetery** und Metairie Cemetery.

★ **2** [bi] **Greenwood Cemetery,** City Park Ave./Canal St., tgl. 8.30-16.30 Uhr, Anfahrt: Canal Streetcar „Cemeteries" (Endstation). Als Friedhof der Feuerwehrleute gegründet und noch heute im Besitz der Firemen's Charitable & Benevolent Association.

★ **3** [dm] **Lafayette Cemetery,** 1400 Washington Ave., Anfahrt: St. Charles Streetcar „Washington Ave.", tgl. 7-15 Uhr

★ **4** [bi] **Metairie Cemetery,** 5100 Pontchartrain Blvd./Metairie Rd., tgl. 7.30-17.30 Uhr, Anfahrt: Canal Streetcar „Cemeteries" (Endstation)

9 [C4] **St. Louis Cemetery No. 1**

★ **5** [di] **St. Louis Cemetery No. 3,** 3421 Esplanade Ave., nahe Eingang City Park, Mo.-Sa. 8-16.30, So. bis 16 Uhr, Anfahrt: Canal Streetcar „City Park/Museum" (Endstation)

❯ **Friedhofstouren** (s. S. 121). Die Friedhöfe bieten gelegentlich auch selbst Führungen an (Infos am Eingang).

❯ **Mehr Infos** zu den einzelnen Friedhöfen erhält man unter www.saveourcemeteries.org

◁ Der St. Louis Cemetery No. 3

> **EXTRATIPP**
>
> **Basin Street Station**
> Im ehemaligen Bahnhof neben dem St. Louis Cemetery 1 befindet sich eine Infostelle mit Ausstellung zu Sehenswürdigkeiten der Stadt und zur Eisenbahn, da es sich hier um den Bau der Southern Railroad handelt. Hier starten auch Touren durch den St. Louis Cemetery No. 1 ❾.
> ❶ 6 [C3] **Basin Street Station – Welcome Center,** 501 Basin St., tgl. 8.30–17.30 Uhr, www.basinststation.com, mit Shop und Café, Halt der Hop-on-hop-off-Busse

ter Ernest N. „Dutch" Morial (1929–89, im Amt 1978–1986). Neben Familiengruften überragen aufwendige, marmorverkleidete Gemeinschaftsgräber den Friedhof. Es handelt sich um „Society"-Gräber, wo bestimmte Bevölkerungsschichten der Sparsamkeit halber in einem gemeinsamen Grabkomplex beigesetzt wurden.

Weitere **sehenswerte Gräber** sind u. a. das von Homer Adolph Plessy (1862–1925), des ersten Schwarzen, der durch seinen Kampf gegen die Segregation bekannt wurde. Im rückseitig gelegenen protestantischen Teil befindet sich das Grab der Familie Musson, aus der Edgar Degas stammt.

› Basin St., https://cemeterytourneworleans.com, nach Vandalismus nur noch im Rahmen von Touren zu besichtigen, siehe auch www.saveourcemeteries.org, Touren ab Basin St. Station tgl. 9.30–13.30 Uhr (stündlich), $ 20, Anfahrt: Rampart Streetcar

▷ *Blick in den Louis Armstrong Park*

❿ Tremé und Louis Armstrong Park ★ [D2]

Der St. Louis Cemetery No. 1 ❾ und der angrenzende Louis Armstrong Park befinden sich zwar nur zwei Blocks vom French-Quarter-Trubel entfernt, zugleich grenzen sie aber an das traditionelle afroamerikanische Viertel **Faubourg Tremé** an, wo sich mittlerweile auch die alternative Szene zu Hause fühlt.

Zudem ist Tremé zwischen 2010 und 2013 durch eine **TV-Serie** gleichen Titels weit über die Stadt hinaus bekannt geworden. In ihr wird der Alltag der Bewohner des Viertels – Musiker, Köche u. a. Bürger – geschildert, die versuchen, nach Katrina wieder ins normale Leben zurückzukehren.

Der **Louis Armstrong Park** hat natürlich eine Statue des bekanntesten Sohnes der Stadt zu bieten, gleich neben dem **Congo Square**, jenem Platz, der bis zum Bürgerkrieg an Sonntagen als Treff der Sklaven diente. Im Park befinden sich das **Mahalia Jackson Theater for the Performing Arts**, ein Neubau, und das **Municipal Auditorium** von 1930 und es finden zahlreiche Veranstaltungen wie die Festivals Louisiana Cajun-Zydeco oder Congo Square Rhythms statt.

Früher befand sich ganz in der Nähe das berühmte Rotlichtviertel der Stadt, in dem der Jazz geboren wurde: **Storyville.** Dieses Viertel zwischen Basin, Iberville, N Robertson und St. Louis Street war bis Anfang des 20. Jh. das Bordell- und Vergnügungsviertel der Stadt. Bereits Mitte des 18. Jh. waren straffällig gewordene Mädchen von Louis XIV. aus Paris nach Louisiana verschifft worden, um den dort herrschenden Männerüberschuss zu mindern. Allerdings kamen dabei nicht nur die

von der Kirche erhofften Ehen zustande, sondern es entstanden auch Vergnügungsetablissements.

1897 beschloss die Stadt, zur besseren Kontrolle der Prostitution entsprechende Häuser einzurichten. Die feineren Etablissements wurden durch die Fotografien von Ernest J. Bellocq (1873–1949) berühmt. Als 1913 nach einer Schießerei erst die Musik und dann, vier Jahre später, die Prostitution verboten wurden, verlagerte sich die Jazzszene in den Norden der USA (vor allem nach Chicago) und das „Gewerbe" ins French Quarter.

Storyville verfiel allmählich und wurde später abgerissen, um Sozialwohnungen Platz zu machen. Heute als „Tremé" bekannt, zählte der westliche Teil des Areals – nördlich der Rampart St. und westlich des Armstrong Park – einst zu den ärmeren Vierteln, doch wie der östliche, zwischen St. Ann Street und Esplanade Ave., entwickelt er sich zu einem lebhaften und beliebten Wohnviertel.

Hier befindet sich im restaurierten Villa Meilleur House auch das seit Jahren geschlossene **New Orleans African American Museum**.

› Anfahrt: Rampart Streetcar „Louis Armstrong Park", verschiedene Events wie das Cajun-Zydeco-Festival (www.jazzandheritage.org/cajun-zydeco), Infos zum Viertel: http://architecture.tulane.edu/preservation-project/place/359

⑪ Hermann-Grima House ★ [D4]

Das Hermann-Grima House wurde 1831 von dem Architekten William Brand für den **jüdischen Immigranten Samuel Hermann** aus Frankfurt/Main erbaut. Die pompöse Ausstattung zeugt von der luxuriösen und geschmackvollen Lebensweise vor dem Bürgerkrieg, zu deren Aufrechterhal-

Voodoo – fauler Zauber oder was?

*Es war Mittsommernacht, der Mond ging auf und Käuzchen riefen, als **Marie Laveau** den Fluten des Lake Pontchartrain entstieg. Kerzen leuchteten ihr den Weg, als sie zum Großen Altar schritt, um ihr Gebet zur „Großen Mutter" zu sprechen und mit der Python zu tanzen. Halbnackte Kultanhänger schlugen Congotrommeln mit Bussardknochen, tranken das Blut von Katzen, rissen lebendige Hühner auseinander und bissen sich gegenseitig, um das Blut des anderen zu kosten.*

*Gespenstisch muss man sich die Szenen vorstellen, die sich zu Lebzeiten der bekanntesten **Voodoo-Königin** jeweils in der Nacht vom 23. zum 24. Juni, dem Johannisfest, am See abspielten. Marie Laveau (ca. 1794-1881) hatte als uneheliche Tochter einer Mulattin und eines weißen Pflanzers mit indianischem Blut ihr Handwerk von **Dr. John**, dem legendären Voodoo-Meister, gelernt. Er hatte einen Harem, eine Schlangenfarm und einen Spionagering betrieben und sich selbst als „Senegalesischen Prinz" bezeichnet.*

*Marie - die „schönste Frau der Stadt" - heiratete 1819 in der St. Louis Cathedral Jacques Paris aus Santo Domingo. Er verschwand jedoch schnell auf mysteriöse Weise und **„Widow Paris"** machte sie sich als Friseuse selbstständig und stieg um 1830 zur **Voodoo Queen** auf. Sie heiratete erneut und lebte mit ihren 15 Kindern, darunter ihre spätere Nachfolgerin, Marie II. (geb. 1827), in der St. Ann Street. Geschäftstüchtig versandte Marie Einladungen zu ihren Riten am See, erhob Eintritt für Congo-Square-Darbietungen, setzte Spitzel ein, die ihr besonders effektive Vorhersagen möglich machten und pflegte gute Beziehungen zu Polizei und Politikern.*

*Ursprünglich eine **Religion** Westafrikas, mit Zentrum im Königreich von Dahomey (Republik Benin), wurde im **Voodoo** als Hauptgott Zombi (Damballah) in Gestalt einer Riesenpython verehrt. Diese soll nach dem Glauben der Afrikaner den blind geborenen Menschen das Augenlicht verliehen haben. Im 16. Jh. begann sich der Kult mit der Sklaverei erst in der Karibik zu verbreiten, um dann im frühen 18. Jh. nach Louisiana überzuschwappen.*

Anfang des 19. Jh. war der Voodoo-Kult in New Orleans fest verankert, verschmolzen mit katholischer Religion, Heiligen- und Marienanbetung. Schwarze Magie, Exorzismus und Spiritismus, Hexerei und Zauberei trieben zunächst ungestört im Verborgenen der Sümpfe und Bayous Blüten, bis eine erste organisierte Voodoo-Zeremonie in der Dumaine St. erlaubt wurde. Sensationsberichte von orgi-

tung hier 70 (!) Hausklaven zum Einsatz kamen. Außerhalb des Hauses, im Innenhof, befinden sich die noch voll funktionsfähige Küche (Vorführungen Okt.-Mai, Do.), die Sklavenquartiere und der Stall. 1844 erwarb die Kreolenfamilie Grima das äußerlich schlichte Haus mit dem umlaufenden schmalen Balkon, seit 1925 befindet es sich im Besitz der Christian Women's Exchange und ist als **Museum** öffentlich zugänglich.

› 820 St. Louis Street, www.hgghh.org, Do.-Di. 9.45-16 Uhr, 10-15 Uhr stündlich Touren, $ 15, mit Gallier House ⓮ $ 25

astischen Riten und anderen Exzessen sorgten für Verbote und Razzien. Ab 1817 wurden Sklaventreffen nur noch an überwachtem Ort zu festgelegter Zeit erlaubt. Die echten Riten fanden jedoch im Untergrund statt, zumal die High Society inzwischen Gefallen am Voodoo-Zauber gefunden hatte.

Bis heute spielt Voodoo in der Stadt eine Rolle, allerdings sind die Grenzen zwischen Magie und faulem Zauber aufgeweicht. **Voodoo-Shows** *werden für* **Touristen** *nachgestellt und Zukunftsprognosen (Hand- und Kartenlesen) abgegeben. Kräuter und Devotionalien wie Send-back-evil-Kerzen, Fear-no-enemy-Spray, Get-together-Drops und Fetische – einst bedeutenten nadelgespickte Voodoopuppen vor der Haustüre einen bösen Fluch –, Mojo hands (Stoffsäckchen mit Reptilien, Vogel- und Tierresten) und Gris-Gris (Talismansäckchen) angeboten.*

🛍 7 *[E3]* **Marie Laveau's House of Voodoo,** *739 Bourbon St., https://voodooneworleans.com. Etwas touristisch aufgemachter Laden.*

❯ **New Orleans Historic Voodoo Museum** *(s. S. 57)*

🛍 8 *[D3]* **Voodoo Spiritual Temple & Shop,** *1428 N Rampart St., https://voodoospiritualtemple.org. Voodoo-Zeremonien und Verkauf von allerlei kuriosem Zubehör.*

⓬ Madame John's Legacy ★ [E3]

Madame John's Legacy wurde nach dem großen Brand 1788, dem Great Fire of Good Friday, vom amerikanischen Architekten Robert Jones für den spanischen Offizier **Don Manuel Lanzos** erbaut. Benannt wurde es nach einem Haus in einer Erzählung von George Washington Cable („Tite Poulette"). Bautechnisch handelt es sich um ein **French Colonial Raised Cottage,** ein eher auf dem Land gebräuchlicher Architekturstil mit Veranden vorn und hinten, einem Sockelgeschoss aus Ziegeln, in dem sich Lager, Küche und Keller befanden, und einer Wohnung im Obergeschoss aus Fachwerk mit offener Galerie und weit vorspringendem Dach. Der Komplex besteht aus drei Gebäuden (Haupthaus, Küche und Garconnière) und einem Innenhof.

❯ 632 Dumaine St., https://louisianastatemuseum.org/museum/madame-johns-legacy, **bei Drucklegung im Frühjahr 2019 wegen Restaurierung geschlossen**. Mit Wechselausstellungen zur Volkskunst und Events.

⓭ Royal Street ★★★ [F3]

Eine Besonderheit des French Quarter sind historische Bauten aus dem 18. und 19. Jh. Die meisten sind für Besucher nicht zugänglich, doch allein ein Spaziergang auf der Royal Street vermittelt einen unvergleichlichen Eindruck, wie die Altstadt einst ausgesehen haben mag.

Die Royal St. ist in ihrem Hauptabschnitt als Straße der Galerien bekannt, im östlichen Teil bietet sie außerdem gutes Anschauungsmaterial in Sachen **Schmiedekunst und Balkone.** Es lassen sich zwei Arten von Gittern unterscheiden: einmal solche aus *rod iron* (aufwendig per Hand gehämmert und geschmiedet, z. B. Nr. 933), zum anderen solche aus *cast iron* (Gusseisen, maschinell hergestellt, neben und gegenüber Nr. 933). Letztgenannte Technik kam in den 1840er-Jahren auf und wurde erstmals bei den Pontalba-Bauten ❹ verwendet. Gusseisengitter kamen in Mode und wohin man heute blickt, entdeckt man diese nach Katalog bestellbaren und daher weitgehend identischen Teile.

Genau genommen sind damit die meisten Balkone im French Quarter gar nicht spanisch, sondern vielmehr amerikanisch, was ein weiteres Baudetail bestätigt: Die Spanier bauten ihre Balkone ohne Stützen und eher schmal, während nach amerikanischer Manier die Balkone Galerien glichen, über den ganzen Bürgersteig reichten und mit Stützen versehen waren.

Zu den berühmtesten Bauten der Straße gehört das **Cornstalk Fence Hotel** (915 Royal St.) mit einem prächtigen Eisenzaun. In der Form von Maisstängeln und -kolben, Blüten und Weinlaub gegossen, wurde dieser 1834 per Schiff vom Hausbesitzer Dr. Joseph Secondo Biamenti aus Philadelphia nach New Orleans gebracht.

⓮ Gallier House Museum ★★ [F3]

1857 bis 1860 entstand das Wohnhaus des bedeutendsten Architekten der Stadt, **James Gallier Jr.** 1798 in Irland geboren, war er in die USA ausgewandert und 1834 in New Orleans aufgetaucht. Sein erfolgreiches Büro übergab er bereits 1849 an seinen Sohn, um selbst mit seiner Gemahlin das Leben zu genießen. Beide kamen 1866 bei einem Schiffsunglück um.

Das perfekt restaurierte Haus ist im Stil der Bauzeit möbliert und mit viktorianischem Dekor versehen. Es verfügte bereits über fortschrittliche sanitäre Anlagen (Kalt- und Warmwasser), Klimaanlagen – damals eine revolutionäre und hochgeschätzte Neuerung! – und z. T. begehbare Wandschränke. Für diese musste übrigens wie für Räume separat Steuer entrichtet werden.

Das nicht zu besichtigende **Haunted House** (1140 Royal St.) nebenan hat eine weniger rühmliche Vergangenheit: Die Besitzerin Delphine LaLaurie soll hier in den 1830er-Jahren ihre Sklaven übel misshandelt haben.

☐ *Idyllisches Wohnhaus mitten im French Quarter*

Nachdem sogar ein kleines Mädchen auf der Flucht vor ihrer Peitsche zu Tode gestürzt war, behauptete man fortan, es würde hier spuken.
› 1118-1132 Royal St., www.hgghh.org, Do.-Di. 9.45-16 Uhr, 10-15 Uhr stündlich Touren, $ 15, mit Hermann-Grima House ⓫ $ 25

⓯ Old Ursuline Convent ★ [F3]

Das Old Ursuline Convent, 1824 bis 1899 Amtssitz des Erzbischofs und heute Archiv der Erzdiözese, zeigt die **Bedeutung der katholischen Kirche in Louisiana.** Der französische Kolonialbau wurde nach Plänen des französischen Stadtbaumeisters Boudin im Jahre 1745 eröffnet und ist damit wahrscheinlich das älteste erhaltene Bauwerk im gesamten Mississippi Valley. Beim großen Feuer 1788 wurde der verputzte Ziegelbau, der den Eindruck von kostbarerem Stein vermitteln sollte, lediglich leicht beschädigt.

Die Institution entstand auf Initiative französischer Ordensfrauen aus Rouen, die zum Zwecke der Schul- und hygienischen Ausbildung 1727 nach New Orleans geschickt worden waren. Das Kloster diente als Hospital, Waisenhaus sowie als Schule für Plantagentöchter und – was Aufsehen erregte – auch für farbige und Indianermädchen. Nachdem die Nonnen auf einer Plantage ein größeres Domizil gefunden hatten, fungierte der Bau 1824 bis 1899 als bischöfliche Residenz. Darauf bezieht sich auch das Museum im Inneren, das einige Raritäten wie kostbare Kirchengewänder, Dokumente, Möbel und eine sehenswerte alte Zypressenholztreppe zeigt.

Zum Konvent gehört die **St. Mary's Catholic Church** (1116 Chartres St.), 1845 als Chapel of the Archbishops gebaut und zeitweise Our Lady of Victory Church genannt. Anfangs von verschiedenen Einwanderergruppen gleichzeitig benutzt, befindet sie sich heute im Besitz des Ordens der Knights of St. Lazarus und untersteht der Erzdiözese von New Orleans. Berühmt sind die Fresken an der Zypressendecke und die bunten Stahlglasfenster bayerischer Herkunft sowie die alten, nur der Dekoration dienenden Orgelpfeifen.
› 1114 Chartres St., www.oldursulineconventmuseum.com, Mo.-Fr. 10-16, Sa. 9-15 Uhr, $ 8

⓰ Beauregard-Keyes House & Garden Museum ★ [F3]

Auf der gegenüberliegenden Straßenseite steht das Beauregard-Keyes House, 1826 für Joseph Le Carpentier im Greek Revival Style mit säulengestützter Vorhalle erbaut. Sieben Jahre später zog hier der Schweizer Konsul John A. Merle ein und fügte den Garten hinzu. Ab 1865 diente das Haus 18 Monate lang dem **Südstaatengeneral Beauregard** als Wohnung. Er war für seinen Befehl berühmt geworden, den ersten Schuss des Bürgerkriegs auf Fort Sumter abzufeuern. 1944 erwarb die Schriftstellerin **Frances Parkinson Keyes** das Haus und ließ es restaurieren. Sie lebte bis 1970 hier und schrieb Romane wie „Dinner at Antoine's", „The Chess Player" oder „Madame Castel's Lodger", die allesamt in New Orleans spielen. Im geschmackvoll möblierten Inneren ausgestellt sind die diversen **Sammlungen der Schriftstellerin,** unter anderem Puppen, Fächer und Teekannen. Schön ist auch der Garten mit Brunnen und Buchsrabatten.
› 1113 Chartres St., www.bkhouse.org, Mo.-Sa. 10-15 Uhr stdl. Touren, $ 10

⓱ Old U.S. Mint ★ [G3]

Am Fluss, an der Ostecke des French Quarter, steht der mächtige Bau der Old U.S. Mint. Die **älteste Münzprägeanstalt der USA** wurde nach der Befürwortung durch Präsident Andrew Jackson 1835 von William Strickland – er plante auch die U.S. Mint in Philadelphia – im Greek Revival Style mit ionischen Säulen und mächtigem Gebälk errichtet.

Das repräsentative Gebäude fungierte bis 1861, dem Zeitpunkt, als die konföderierten Truppen einzogen, sowie 1879 bis 1909 als Münzstätte. Zur Blütezeit wurden hier 5 Mio. Münzen im Monat geprägt. Im Erdgeschoss sind noch alte Druckmaschinen und Safes, Dokumente zur Geldherstellung und Münzen zu sehen (Louisiana Historical Center). Im Obergeschoss soll bis 2020 das **NOLA Jazz Museum** einen neuen Ausstellungsbereich bekommen. Bereits jetzt ist in Teilen der Räumlichkeiten eine interessante Ausstellung zu Louis Armstrong und seinem Leben in New Orleans zu sehen. Ebenfalls bereits in Betrieb ist im zweiten Stock ein Performing Arts Center mit einer Bühne für Konzerte und andere Veranstaltungen.

❯ 400 Esplanade Ave., https://louisianastatemuseum.org/museum/new-orleans-jazz-museum-old-us-mint, Di.–So. 10–16.30 Uhr, $6, Veranstaltungen siehe https://nolajazzmuseum.org.

⓲ French Market ★★★ [F4]

Der French Market besteht nicht nur aus historischen Markthallen, sondern das ganze Areal ist eines der pulsierenden Zentren der Altstadt mit Lokalen und Läden, kleinen Parkanlagen und Straßenmusik, Verkaufsständen und Imbissbuden.

Schon die Choctaw-Indianer nutzten die Stelle zwischen Mississippi und French Quarter, an der sich heute der French Market befindet, als Handelsplatz. Im 18. Jh. diente er den Franzosen als Sklaven- und Lebensmittelmarkt.

In dem mehrteiligen Komplex, der sich über insgesamt **fünf Blöcke** erstreckt, gibt es heute weniger Lebensmittel als vielmehr **Souvenirs aller Art**, von T-Shirts über Modeschmuck und Sonnenbrillen bis hin zu Gewürzen und Soßen, zu kaufen. Dazu warten zahlreiche **Imbissstände** auf hungrige Besucher.

Eines der wichtigsten Einzelgebäude ist der **Old Butcher's** oder **Meat Market**. 1823 von Jacques Tanesse als Nachfolger eines 1812 vom Hurricane zerstörten Gebäudes gegenüber der Südostecke des Jackson Square ❶ erbaut, zog hier bereits 1860 das le-

> **EXTRATIPP**
>
> **Faubourg Marigny**
> Direkt im Anschluss an das French Quarter (Esplanade Ave.), beginnt Faubourg Marigny. Hier kann man noch **ein Stück des ursprünglichen New Orleans** finden, wenn auch selbst hier erste Spuren einer Gentrifizierung zu spüren sind.
>
> In der pulsierenden Frenchmen Street, die an der Old U.S. Mint ⓱ ihren Anfang nimmt, reihen sich Lokale und v. a. die angesagten Musikbars der Stadt aneinander. Der zentrale Washington Square ist Treff und grüne Lunge des Viertels. Um die zentrale Elysian Fields Ave. entstehen mehr und mehr Lokale und Läden. Noch weiter „downriver", jenseits der Franklin Ave., beginnt **Bywater**, ein weiterer derzeit bei jungen Zuzüglern beliebter Stadtteil.

French Quarter – Vieux Carré

gendäre **Café Du Monde** (s. S. 68) ein. Nach 1948 wurde kein Fleisch mehr verkauft, 1976 erfolgte eine grundlegende Renovierung.

Als nächster Teil folgt der **New Bazaar**, der 1870 nach Plänen des afroamerikanischen Architekten Joseph Abeilard erbaut, 1917 zerstört und 1930 wieder aufgebaut wurde. Er diente ursprünglich dem Verkauf von Kleidung, Trockenfrüchten und Blumen und fungierte von den 1930er-Jahren bis 1976 als Obst- und Gemüsemarkt.

Die **Place de France** mit einer vergoldeten Statue der Jeanne d'Arc grenzt den Bau vom anschließenden **Riverside Market** ab. Dieser Teil wurde zusammen mit den neuen Flutdämmen und dem Zugang zum Fluss in den 1970er-Jahren neu errichtet.

Der **Old Vegetable Market** (daneben) stammt von 1813 (Joseph Pillé). Heute befinden sich hier v. a. Cafés, Restaurants und Imbissläden. Die sich anschließenden **Red Stores** dienten ursprünglich dem Verkauf von Trockenprodukten und Fisch, heute sind es Souvenirs und Kitsch, und im **Farmer's Market** bieten Händler bereits seit 1936 Obst und Gemüse an. Auf dem **Community Flea Market**, einem Freiluft(floh)markt davor, gibt es allerhand Kruscht und Krempel.

› Zwischen Barracks und St. Ann St., Decatur St. und Mississippi, www.frenchmarket.org, tgl. 9/10–18 Uhr, auch Walking Tours, Festivals (wie das Creole Tomato Festival) u. a. Veranstaltungen

Blick in eine der Hallen des French Market mit Verkaufsständen

KLEINE PAUSE
Muffuletta oder Drink gefällig?

Die **Central Grocery** (s. S. 66) gegenüber dem French Market ist bekannt für ihre dick mit Schinken, Salami, Käse und Olivensalat belegten Weißbrote, die *Muffulettas*. Bei **Tujague's** (s. S. 61) kann man sich mit einem Drink an der Bar erfrischen und dann butterweichen *Beef Brisket* („Rinderbraten") bestellen.

Die Ära der „Paddlewheeler"

*1811 begann die Epoche der **Dampfschifffahrt** auf dem Mississippi. Obwohl die Schiffe nur 25 bis 30 km/h schnell fuhren, aus Sicherheitsgründen meist nur tagsüber unterwegs waren und für die Strecke von St. Louis nach New Orleans gut eine Woche brauchten, stellten sie einen enormen Fortschritt dar. In den 1840er-Jahren und 1850er-Jahren erlebten die Dampfschifffahrt – und der **Handel** – eine Blütezeit. Mit riesigen Baumwollballen beladene Schiffe und vollgestapelte Anlegestellen gehörten zum Hafenbild.*

*Obwohl die **„Paddlewheeler"** (Raddampfer) dem Gütertransport dienten, war auf manchen eine gewisse Anzahl von Fahrgästen erlaubt. In der zweiten Hälfte des 19. Jh. entstanden dann richtige „Schwimmende Paläste", Luxushotels auf dem Wasser, wie die legendäre Aleck Scott, die Grand Turk oder die J. M. White. Gleichzeitig kam der Mythos von „Southern Belles" und „Riverboat Dandys", eine Huckleberry-Finn-Idylle, auf. Dabei war die Realität weniger romantisch, denn die „steamboats" waren schmutzig, langsam und gefährlich. Nicht selten führten Navigationsfehler zum Kentern, und nicht ohne Grund wurden die Schiffe auch „schwimmende Vulkane" genannt: Kesselexplosionen gab es ständig und Unfälle kosteten viele Leben.*

*Der Mississippi galt mit seinen 45 schiffbaren Nebenarmen als **unberechenbar und tückisch**. Die Navigation war kein Kinderspiel und **Lotsen** wurden wie Halbgötter verehrt und hatten sogar Befehlsgewalt über den Kapitän. Ihnen oblag es, die schweren Dampfer über den mäandernden Fluss mit all seinen Untiefen, Riffs und Wracks unter sich ständig verändernden Uferbedingungen zum Heimathafen zu manövrieren. Wie **Mark Twain**, der selbst den Lotsenberuf erlernt hatte, 1882 in „Leben auf dem Mississippi" eindrucksvoll schildert, bestand die Ausbildung in erster Linie aus dem Auswendiglernen der Strecke, seiner markanten Punkte, Strömungen und Tiefen, und dem ständigen Informationsaustausch über Uferverlauf, Wetterbedingungen und neue Entwicklungen.*

*Die **wachsende Bedeutung der Eisenbahn** ab dem Ende des 19. Jh. leitete den Niedergang der Dampfschifffahrt ein, doch als Handelsweg spielt der Fluss bis heute eine wichtige Rolle. Der Hafen von New Orleans, der sich bis nach Baton Rouge erstreckt, gehört zu den bedeutendsten des Landes und ist führend, was Erdöl und Bodenschätze, Getreide und Kaffee angeht. Unzählige Binnenschiffe und Überseefrachter frequentieren pro Jahr den Fluss, „Paddlewheelers" sind hingegen selten geworden.*

ⓘ New Orleans Jazz National Historical Park ★ [F4]

Der New Orleans Jazz National Historical Park ist kein gewöhnlicher Nationalpark, sondern eigentlich nur ein Veranstaltungsraum mit Infostand und Ausstellung. Es finden hier regelmäßig **Konzerte**, **Vorträge** und andere Veranstaltungen statt, es gibt interessante **Audiotours** und **Broschüren** zur Geschichte des Jazz in bestimmten Stadtvierteln und einen Verkaufsstand für CDs.

Auch der **Jazz Walk of Fame** an der Algiers Ferry Landing erinnert anhand

French Quarter – Vieux Carré

von Plaketten an die bedeutendsten Musiker der Stadt.
› 916 N Peters St., Di.–Do. 10–16.30, Fr./Sa. bis 16 Uhr, Eintritt frei, www.nps.gov/jazz, regelmäßige Konzerte (kostenlos), ebenso in der Old US Mint ❶ (https://nolajazzmuseum.org)

❷⓪ Riverfront/ Crescent Park ★ [F4]

Eine aus mehreren Teilen bestehende **Flusspromenade**, die **Riverfront**, verknüpft den alten Stadtkern (French Quarter/Bywater) mit dem Geschäfts- und Bürozentrum, dem Central Business District (CBD). Der **Washington Artillery Park** verbindet den Jackson Square mit dem Flussufer. In dem dort befindlichen kleinen **Amphitheater** an der Decatur St. kann man zu fast jeder Tages- und Jahreszeit Vorführungen sehen. Im Hintergrund fällt die **Jackson Brewery**, kurz **JAX** (s. S. 75) genannt, ins Auge. Diese Brauerei aus der Zeit der Wende vom 19. zum 20. Jh. wurde in ein Einkaufszentrum umgewandelt.

Die Riverfront ist vom French Quarter durch einen Deich und Gleisanlagen, die von den roten Riverfront Streetcars wie auch von zahlreichen Güterzügen frequentiert werden, getrennt. Entlang dem Fluss erstreckt sich in nordöstlicher Richtung – *downriver* – der **Moonwalk**. Der Name rührt nicht von romantischen Mondnächten her, sondern erinnert an den ehemaligen Bürgermeister, Moon Landrieu.

Noch weiter flussabwärts wurde 2018 jenseits der Elysian Fields Ave. der **Crescent Park** (https://crescentparknola.org) als Verlängerung des Riverwalk eröffnet. Die begrünte Flusspromenade mit einer markanten Fußgängerbrücke über die Bahngleise verlängert nicht nur die Riverfront, sondern ermöglicht den Bewohnern des angrenzenden Viertels Bywater endlich auch den Zugang zum Mississippi.

Von der Anlegestelle des *steamboat* Natchez flussaufwärts, verbindet schließlich der **Woldenberg Riverfront Park**, eine Grünanlage mit Eichen, Magnolien, Rasenflächen, Veranstaltungspavillon und Promenade, den Moonwalk mit der Canal St. Das Ende der Promenade markiert das **Audubon Aquarium of the Americas** (s. S. 56).

Der letzte historische Schaufelraddampfer auf dem Mississippi: die Natchez

Warehouse und Central Business District

Zwischen dem French Quarter, dem historischen Herzen der Stadt, und dem Garden District, dem weitläufigen Villenviertel aus dem 19. Jh., entstand der CBD (Central Business District) als pulsierendes Geschäftszentrum der Stadt. Nach einer gelungenen Revitalisierung präsentiert sich der Warehouse District, ein Teil des CBD, als attraktives Viertel mit Wohnungen, Läden und Lokalen sowie Galerien und Museen und wird daher auch „Arts District" genannt.

Hauptverkehrsadern des CBD sind **Canal** und **Poydras St.** sowie Magazine und Tchoupitoulas St. Die **Canal Streetcar** und die historische **St. Charles Streetcar** hatten in den 1990er-Jahren die Wiederbelebung des Areals forciert. Dort zeigt New Orleans nun sein typisch **amerikanisches Gesicht**, mit modernen Hochhäusern und alten, vielfach renovierten und zu Lofts und Galerien umgebauten Lagerhäusern.

🔴 21 Canal Street ★ [D6]

Verbindet die Riverfront die beiden verschiedenen Gesichter der Stadt, das French Quarter und den CBD, so bildet die Canal Street deren Trennlinie. Die Straße, an deren Stelle im 18. Jh. ein Kanal zwischen Mississippi und Lake Pontchartrain geplant war, stellte einst die Schnittstelle zwischen dem kreolischen (French Quarter) und dem amerikanischen Sektor (Garden District) dar. Die beiden Viertel blieben bis weit ins 19. Jh. hinein so etwas wie eigene Städte, erst dann wurde eine gemeinsame Verwaltung eingeführt. Der geplante Kanal erklärt nicht nur den Namen, sondern auch die ungewöhnliche Breite (55 m) der Straße, die schnurgerade – von einer einzigen Kurve abgesehen – zum Lake Pontchartrain führt.

In der Canal St. herrscht immer Gedränge. Abgesehen von bummelnden Touristen dient die Straße den Einheimischen als Treffpunkt und Einkaufsmöglichkeit, außerdem fahren hier viele Busse in die Wohngebiete ab. Ramsch-, Souvenir- und Secondhandläden (v. a. Kleidung, Haushalts-, Elektronikzubehör), in letzter Zeit aber auch vermehrt Filialen bekannter Marken, reihen sich aneinander.

An der Ecke zur N Rampart St. steht unübersehbar das berühmte **Saenger Theatre** (s. S. 73) von 1927 mit prachtvoller orientalisch-historisierender Innenausstattung. Nach Hurricane-Schäden und Besitzerwechsel wurde es 2013 wiedereröffnet. Auch das nahe **Orpheum Theater** (s. S. 73) erstrahlt wie das **Joy Theater** (1200 Canal St.) wieder in neuem Glanz. Weiterer markanter Punkt an der Canal St. und zugleich an der Riverfront ist das ehemalige **World Trade Center (WTC)**, das derzeit in ein Four-Seasons-Luxushotel umgewandelt wird (Eröffnung 2020). Zu Füßen liegt das einzige Casino der Stadt, **Harrah's New Orleans Casino** (s. S. 67), außerdem das **Ernest N. Morial Convention Center** (s. S. 72). Es zählt mit zwölf Ausstellungshallen, Ball Rooms und dem New Orleans Theater mit über 4000 Plätzen zu den größten Messezentren der USA. Vor dem zentralen Teil des Messezentrums wurde eine farbenprächtige **Hurricane Katrina Sculpture** (ein Baum mit Haus in der Krone) als Denkmal für die Opfer errichtet. Gegenwärtig wird das Areal entlang dem Convention Center Blvd. zu einer parkartigen Promenade umgestaltet.

Nahe dem WTC befinden sich zudem zwei sogenannte Nationenplätze, die **Plaza d'España** (vor dem **Riverwalk**) und die berühmte **Piazza d'Italia** (Poydras/Tchoupitoulas St.). Letztere ist die eigenwillige Platzanlage des Engländers Charles Moore, ein postmodernes Architekturdenkmal (1978), das in fast keinem Kunstgeschichtehandbuch fehlt.

› Anfahrt: Canal Streetcar (Stationen an allen Straßenkreuzungen)

A Streetcar named Desire

„From time to time he passed the slowly rocking streetcars that seemed to be leisurely moving towards no special destination, following their route through the old mansions on either side of the avenue", so beschrieb **John Kennedy Toole** in seinem Roman *„A Confederacy of Dunces"* (postum 1980, deutsch: *„I gnaz oder die Verschwörung der Idioten",* 1988) die New Orleanser Straßenbahn. Berühmt geworden ist sie durch **Tennessee Williams'** *„A Streetcar named Desire"* (1947, *„Endstation Sehnsucht",* 1949).

Die ersten Straßenbahnen wurden noch von **Pferden** *oder* **Maultieren** *gezogen. Nach dem Bürgerkrieg 1872 hatte in New Orleans General Beauregard beschlossen, die Straßenbahn von den launischen, langsamen und gefräßigen Tieren unabhängig zu machen. Experimente mit* **Ammoniakantrieb** *und* **Oberleitungen** *blieben jedoch erfolglos. Als 1885 die erste elektrische Bahn in Baltimore zum Einsatz kam, wurde man hellhörig, und am 1. Februar 1893 war es auch in New Orleans so weit: Die erste* **elektrische Bahn** *setzte sich entlang der St. Charles Street in Bewegung.*

Damals waren die Streetcars noch verschiedenfarbig, oft mit goldenen oder silbernen Streifen oder Mustern. Von 1902 bis 1905 verkehrten die sogenannten **Palace Cars**, *überaus luxuriöse Wagen, die aus St. Louis kamen. Die 35 charakteristischen, olivgrünen* **Perley Thomas Cars**, *die heute noch in Betrieb sind, stammen aus den frühen 1920er-Jahren, als noch über 300 km Schienen verlegt waren.*

Damals war die „Streetcar-Kultur" schon im Niedergang begriffen, Autos im Vormarsch, und in den 1930er-Jahren mehrte sich die Zahl der Busse auf den Straßen. 1964 wurde die Canal Street Line aufgegeben und was vom einst umfangreichen Netz blieb, war ein 20 km langer Abschnitt, die **St. Charles Line.** *Diese gilt als die älteste kontinuierlich betriebene Streetcar in den USA und wurde 1973 ins National Register of Historic Places aufgenommen und unter* **Denkmalschutz** *gestellt. Die Linie mit ihren charakteristischen, grünen Trambahnen existiert seit 1835 als Verbindung der New Orleans & Carrollton Railroad zwischen New Orleans und Carrollton.*

Weitere Linien sind **wiederbelebt worden:** *Entlang der* **Canal Street** *rattern, ebenso wie an der* **Riverfront** *und entlang der* **Loyola Ave.** *zum Bahnhof (Union Station), rote Streetcars. Wo ab 1926 die Old French Market Line verkehrte, sind heute auf dem 2,5 km langen Public Belt Railroad Corridor die Riverfront Streetcars, „The Ladies in Red", unterwegs.*

2016 wurde die Rampart/St. Claude Line neu eröffnet. Sie führt von der Union Station entlang der Rampart Street bis zur Ecke St. Claude/Elysian Fields Ave.

Warehouse und Central Business District

㉒ Warehouse District ★ [E8]

Als Teil des Central Business District gewann der Warehouse (Arts) District im letzten Jahrzehnt dank intensiver Revitalisierungsbemühungen enorm an Attraktivität. Dieser südliche Teil des CBD zwischen Poydras St. (O), Hwy. 90/Expressway (W), St. Charles Ave. (N) und Convention Center Blvd. (S) gilt als „in" und „trendig", seit sich in den ehemaligen Lagerhäusern und Fabriken **Boutiquen** und **Ateliers**, **Galerien** und **Cafés** sowie **Museen** angesiedelt haben.

Vor allem entlang der **Tchoupitoulas St.** ist die Entwicklung zum neuen „SoHo" in vollem Gange und es entstehen zuhauf neue Apartmentgebäude, schicke Lokale und Läden, Cafés und Bars.

Gleichzeitig bietet das Viertel Anschauungsmaterial für **Lagerhausarchitektur** zwischen 1830 und dem frühen 20. Jh. Diesbezüglich sehenswert ist die **Julia Row** (vor allem der 600er-Block) mit 13 Häusern aus den 1830er-Jahren.

Ein Muss für Familien ist der Besuch des ebenfalls in einem alten Warehouse befindlichen **Louisiana Children's Museum** (s. S. 57). Dieser „Erlebnisspielplatz" für Kinder bietet interaktive Exponate und Abteilungen wie Super Market, Restaurant, Safety City oder auch ein Radiostudio.

Im nahen **Contemporary Arts Center** (s. S. 72), auffällig durch ein grandioses Wandbild und außerdem innenarchitektonisch sehenswert, stehen Wechselausstellungen mit zeitgenössischer Kunst, Videos und Kulturveranstaltungen auf dem Programm.

› Anfahrt: Bus 10 „Tchoupitoulas St." oder 11 „Magazine/Camp St."

㉓ National World War II Museum ★★ [D8]

Das besuchenswerte National World War II Museum – ein konstant wachsender, mehrteiliger Komplex – widmet sich, aufwendig mit Schautafeln, Filmen, Hörstationen, Rekonstruktionen und Originalstücken (Fahrzeuge, Landungsschiffe und Flugzeuge) gestaltet, in mehreren Komplexen den Ereignissen im Zweiten Weltkrieg.

Zum Museumscampus gehört außer dem **John E. Kushner Restoration Pavilion** auch das **Solomon Victory Theater**, wo die 4D-Kriegsdokumentation „Beyond all Boundaries" mit Tom Hanks als Sprecher gezeigt wird und sich **BB's Stage Door Canteen** – Unterhaltung im Stil der 1940er-Jahre mit Bands, Tanz und Musicals – befindet.

In den **European and Pacific Theaters** sind die Ausstellungen „Campaigns of Courage" zum Kriegsschauplatz Europa bzw. zu Japan zu sehen, im **US Freedom Pavilion/Boeing Center** von 2013 sind u. a. sechs Flugzeuge aus dem Zweiten Weltkrieg ausgestellt und es gibt interaktive Bildschirme und Hörstationen. Der Zugang (Ticketverkauf) erfolgt im Louisiana Memorial Pavilion, wo es auch Wechselausstellungen gibt.

Im **American Sector** kann man gut essen bzw. in **Jeri Nim's Soda Shop** einen Imbiss zu sich nehmen. Derzeit sind die Hall of Democracy, das Higgins Hotel und der Liberty Pavilion in Planung bzw. im Bau.

› 945 Magazine St., www.nationalww2museum.org, tgl. 9–17 Uhr, $28 (Filme kosten $7 extra), Shop, Soda Shop (Imbiss) und Restaurant, www.nationalww2museum.org, Anfahrt: St. Charles Streetcar „Lee Circle" bzw. Bus 11 „Magazine/Camp St."

㉔ Ogden Museum of Southern Art ★ [C8]

Das Ogden Museum of Southern Art basiert auf der Sammlung des **Immobilienmoguls Roger H. Ogden**, welcher der Universität 1994 rund 600 Kunstwerke vermachte. Darunter befinden sich Aquarelle aus dem 18. Jahrhundert, Malerei des 19. und 20. Jahrhunderts sowie Drucke, Keramik, Fotos und Skulpturen aus den Südstaaten. Die an den Neubau angeschlossene historische Patrick F. Taylor Library von 1888 wird derzeit als Eventspace genutzt und soll in Zukunft als Ausstellungsfläche integriert werden.

Die Sammlung ist auf mehrere Etagen verteilt, ganz oben befindet sich ein kleiner Dachgarten mit Ausblick. Ein Ausstellungsbereich ist der Südstaatenkunst von 1890 bis 1945 gewidmet, ein weiterer der Zeit von 1945 bis heute, daneben werden Wechselausstellungen gezeigt. Neben Kunsthandwerk und Fotografie spielt die Malerei, v. a. die Landschaftsmalerei, eine wichtige Rolle. Außerdem sind viele interessante Werke von weniger bekannten Autodidakten, Outsidern und Visionären zu sehen.

Im Kontrast zum Ogden Museum of Southern Art steht das benachbarte **Confederate Memorial Hall Museum** (s. S. 56), das sich in einem historischen Gebäude befindet. Hier sind Dokumente, Memorabilia, Uniformen, Flaggen, Waffen, Gemälde und andere Bürgerkriegsreliquien zu sehen.

› 925 Camp St., www.ogdenmuseum.org, tgl. 10–17 Uhr, Do. Livemusik 18–20 Uhr, $ 13,50, Anfahrt: St. Charles Streetcar „Lee Circle" bzw. Bus 11 „Magazine/Camp St."

㉕ Lee Circle ★ [C8]

Der Lee Circle ist der Dreh- und Angelpunkt des CBD. Seine Mitte markiert eine Säule, die von einer Statue des Südstaatenoberbefehlshabers **Robert E. Lee** bekrönt wird. Die **K&B Plaza** vor der Highway-Überführung (Ecke St. Charles Ave.) stammt vom Architekturbüro SOM und wurde 1960 bis 1962 erbaut. Dieses an sich unscheinbare, moderne Hochhaus zeigt im Foyer und auf dem Vorplatz mehrere Skulpturen und Objekte des 20. Jh. von großen Künstlern wie Calder, Moore, Segal oder Saint-Phalle.

Ebenfalls mit Kunst befasst sich das **New Orleans GlassWorks & Printmaking Studio** (s. S. 59) – eine Künstlerinitiative, die hier Galerien und Werkstätten betreibt und Vorführungen sowie eine ganze Reihe von Kursen anbietet.

› Anfahrt: St. Charles Streetcar „Lee Circle"

㉖ Gallier Hall ★ [C7]

Ein herausragendes Bauwerk an der St. Charles Ave. ist die Gallier Hall am Lafayette Square. Der Greek-Revival-Bau wurde von dem berühmten Architekten James Gallier Sen. 1845 als *municipal hall* (Stadthalle) geplant und fungierte 1852 bis 1957 als Rathaus. Die Stadtverwaltung ist zwar längst in einen modernen Bau an der Loyola Ave. umgezogen, aber dennoch hat die Gallier Hall einmal im Jahr ihren großen „Auftritt": zu **Mardi Gras**, wenn der Bürgermeister auf der Ehrentribüne vor dem Gebäude die Paraden abnimmt. Auch sonst werden die kürzlich renovierten Räumlichkeiten für Veranstaltungen genutzt.

› 545 St. Charles St., Anfahrt: St. Charles Streetcar „Poydras"

27 Superdome ★★ [A6]

Der 1975 eröffnete Mercedes-Benz Superdome sprengt mit seinen maximal 95.000 zur Verfügung stehenden Plätzen (76.000 bei Sportereignissen, 87.500 bei Konzerten) alle Dimensionen. Die Vielzweckhalle wird von einer 27 Stockwerke hohen Kuppel überwölbt (82 m hoch, 210 m Durchmesser). Einen authentischen Eindruck von der Halle erhält man während eines Footballspiels der **New Orleans Saints** – letztmalig Meister der Profiliga NFL in der Spielzeit 2009. Diesem Team liegt die ganze Stadt zu Füßen und man fieberte schon zehnmal dem Football-Endspiel „Super Bowl" entgegen, der zuletzt 2013 hier stattfand.

Westlich vom Superdome steht die **New Orleans Arena** („Smoothie King Center"). In dieser Sporthalle treten die Profibasketballer der NBA, die **New Orleans Pelicans**, vor bis zu 17.200 Zuschauern an. Das Areal südlich der beiden Sportarenen wurde zum Super Bowl 2013 neu gestaltet und u. a. mit dem **Champions Square** versehen, einem Platz, auf dem vor Spielen für Stimmung gesorgt wird und sich die Fans treffen.

› Poydras St./Sugar Bowl Dr., Anfahrt: Bus 16 („Superdome"), www.mbsuperdome.com und www.smoothiekingcenter.com

28 Blaine Kern's Mardi Gras World ★★★ [fm]

Nach einem Besuch von Blaine Kern's Mardi Gras World versteht man die Bedeutung des Karnevals für die Stadt besser. Auch wenn man selbst vielleicht zur Karnevalszeit nicht dabei sein kann, hier erhält man zumindest einen Einblick in New Orleans' Liebe zum Fasching.

Nach einer allgemeinen Einführung mittels eines Films in einem Raum, in dem auch Karnevalskostüme zum Anprobieren und zur Stärkung Kaffee und ein Stück King Cake bereitstehen, beginnt die Führung durch eine der Hallen. Hier werden **Karnevals-Paradewagen** und **-figuren** hergestellt und die Handwerker und Künstler können bei der Arbeit beobachtet werden. Eine kleine **Ausstellung** zur Firmengeschichte und ein riesiger Laden runden den Besuch ab.

1947 war die Firma von **Blaine Kern** gegründet worden, schon ein Jahr später stattete er die erste Parade aus – Kern war nämlich Mitbegründer der Bacchus-Gesellschaft und gilt als „**Mr. Mardi Gras**". Die Kern-Studios (www.kernstudios.com) entwickelten sich im Laufe der Jahrzehnte zu einem Großunternehmen, bestehend aus mehreren Abteilungen, die Mardi-Gras-Wagen und Figuren (auch für Vergnügungsparks, Mu-

◁ *Im Superdome gibt es American Football und große Konzerte*

Who Dat?

„Who dat? Who dat? Who dat say dey gonna beat dem Saints!" - seit dem 7. Februar 2010 kennt in den USA jeder den Schlachtruf der Fans der **New Orleans Saints.** In „gutem" Englisch müßte der eigentlich unübersetzbare Satz heißen: „Who is that saying they are going to beat the Saints!" In ganz USA wurde der Satz bekannt, da an jenem Februarsonntag 2010 die Footballmannschaft mit einem 31:17-Erfolg über die Indianapolis Colts den Super Bowl XLIV, das Endspiel der Profi-Liga NFL, gewann. Diese erste Meisterschaft versetzte die ganze Stadt in einen wochenlangen Freudentaumel und signalisierte der Welt, dass die Stadt ihr Trauma nach der Hurricane-Katastrophe 2005 überwunden hat.

2006 hatte ein TV-Kommentator nach einem Sieg der Saints von der **„Who Dat? Nation",** von den treuen Fans der Mannschaft, geschwärmt. Die wenig erfolgsverwöhnten Saints wurden schon seit der Vereinsgründung 1967 in New Orleans abgöttisch verehrt. „Who Dat?" leitet sich aus dem lokalen Dialekt der Cajun und Afroamerikaner ab, die das „th" als „d" aussprechen. Schon früh wurde die unübersetzbare Floskel in Gedichten, Liedern und Shows im Zwiegesang zwischen Vortragendem und Publikum verwendet und zur Karikierung der einfachen Südstaatler in Witzen. Mittlerweile kennt „Who dat!" jedoch die ganze Welt als Schlachtruf der Saints-Fans ...

seen, Firmen und Shops) herstellen. Dazu kommen die Mardi Gras World (Touren und Miethallen für Feste etc.) und Mardi Gras Productions (Herstellung von Wurfmünzen und anderen Wurfobjekten für Paraden sowie von Mardi-Gras-Souvenirs).

Inzwischen arbeiten in 20 Hallen in der Stadt etwa 50 Mitarbeiter an rund 250 Karnevalswagen und -figuren. Außer für New Orleans werden auch Wagen für andere Paraden, beispielsweise in Galveston (Texas) oder Mobile (Alabama), hergestellt. Kern gilt als größte Firma im Karnevalsgeschäft, es gibt aber auch andere, z. B. Barth Bros., Studio 3, Royal Artists oder Massett & Co.

> 1380 Port of New Orleans Place, www.mardigrasworld.com, ca. einstündige Touren tgl. 9.30–16.30 Uhr alle 30 Min., $ 22, Anfahrt: Mardi-Gras-Shuttlebus (kostenlos, unter Tel. 504 3617821)

☐ Bei Blaine Kern's werden Paradewagen wie dieser hergestellt

Karneval – Throw me something, Mister!

*König Karneval regiert während der **"wildesten Party der Welt"** zwischen dem 6. Januar, der **Twelfth Night** bzw. dem **Kings' Day**, und **Mardi Gras**, dem Faschingsdienstag. Rund 50 **Paraden** ziehen während dieser Zeit durch die Straßen von New Orleans und der umliegenden Gemeinden, jede davon mit 15 bis 50 Paradewagen oder **Floats**. Diese prächtig geschmückten Wagen, für die die jeweilige Gesellschaft jedes Jahr ein anderes Motto ausruft, dominieren das Bild, dazwischen marschieren Marching Bands lokaler Schulen und andere Fußtruppen.*

Auf leicht variierenden Routen geht es meist von Uptown entlang der St. Charles Ave. zur Canal St. Im French Quarter finden seit 1973 wegen der Brandgefahr nur noch kleine Fußparaden statt. Dennoch ist während des Karnevals auch in der Bourbon St. einiges los: Kritiker und Einheimische sprechen von der "drunken orgy", da es Tradition ist, für besondere "beads" (Ketten", die von den Balkonen geworfen werden), kurz mal den Busen zu entblößen.

Das Motto bei den Umzügen heißt „Throw me something, Mister!", und wer am lautesten schreit, am auffälligsten oder aufreizendsten gekleidet ist, am höchsten steht oder jemanden auf den Floats kennt, wird reichlich belohnt: mit „beads", „go-cups" (Trinkbechern), „doubloons" (Erinnerungsmünzen) oder Plüschtieren. Die Mitglieder der veranstaltenden „Krewes" (Karnevalsgesellschaften) geben für die Wurfobjekte mehrere Hundert Dollar aus.

*Der erste offizielle Mardi Gras wurde **1831** in Mobile (Alabama) gefeiert, ehe Comus (nach „komos", altgriechisch für einen ausgelassenen Festumzug zu Ehren des Gottes Dionysos) 1857 mit einer Parade den Startschuss in New Orleans gab. Dennoch ist man sich in New Orleans sicher, die ältere Tradition vorweisen zu können: Als **1699** der französische Forscher Iberville südlich von New Orleans am Faschingsdienstag an Land ging, feierte man nicht nur, sondern nannte den Ort auch gleich „Point du Mardi Gras".*

*Die erste **Krewe** (nach dem englischen „crew") war die **Krewe of Comus**. Heute gibt es um die 70 Karnevalsgesellschaften. Zu den alteingesessenen zählen außerdem Momus, Proteus und Rex, die die Namen ihrer Mitglieder weitgehend geheim halten. Andere, vor allem jüngere, lassen auch „Normalsterbliche" zu und erlauben die Teilnahme an Paraden und Bällen. Oberhaupt einer Krewe ist der **Captain** oder **Grand Marshal** (bei Zulu), der dieses Amt meist mehrere Jahre innehat, wohingegen **King**, **Queen** und Hofstaat - aus den angesehensten Familien der Stadt stammend - jährlich neu gewählt werden.*

*Die **Parade von Rex** (1872 gegründet) am Faschingsdienstag mit der **Boeuf Gras Float** - das Pappmaché-Abbild eines fett gefütterten Ochsen, der auf das letzte große Mahl vor der Fastenzeit hinweist - und dem Wagen des **King of the Carnival** gilt als Höhepunkt. Von Rex stammt auch die offizielle **Karnevalsflagge** in den Farben Lila („purple") für Gerechtigkeit, Grün für Treue und Gold für Macht. Vor Rex*

Karneval – Throw me something, Mister!

zieht der **Zulu Social Aid & Pleasure Club** durch die Stadt. Er war 1909 als erste schwarze Krewe gegründet worden. 1916 fand die erste Parade mit **King Zulu** statt. Kokosnüsse als Gaben ans Volk und Mitglieder mit schwarz angemalten Gesichtern und Lockenperücken wurden zum Markenzeichen. 1949 führte Louis Armstrong als erster „Celebrity King" die Parade an. Bereits am Rosenmontag, **Lundi Gras,** schmeißen im Woldenberg Park (Riverfront) King und Queen of Zulu eine Party. Am Abend treffen sich dann King Zulu und Rex.

Die sogenannten *„Super Krewes"* Bacchus, Endymion und Orpheus veranstalten die größten Paraden und Bälle. Die **Krewe of Bacchus,** 1968 gegründet, ist bekannt für ihre Sonntagsparade und dafür, dass der König immer ein landesweit bekannter Prominenter ist. Das Markenzeichen von **Orpheus,** 1994 durch den Jazzmusiker Harry Connick Jr. gegründet, ist eine 40 m lange, mehrteilige Float (so heißen die Karnevalswagen) in Gestalt einer Eisenbahn und die „Orpheuscapade", der Ball im Convention Center, der den Lundi Gras (Rosenmontag) beschließt. **Endymion,** die größte Krewe mit über 2400 Mitgliedern, ist für den größten Umzug (am Samstag vor Mardi Gras) und den Ball „Extravaganza" berühmt, der mit etwa 14.000 Gästen zumeist im Superdome stattfindet.

Ungewöhnliche Krewes sind Muses, Venus, Iris oder Nyx - Frauen-Krewes - oder Schwulengesellschaften wie die Krewe of Petronias, Armenius, Amon-Ra oder die Lords of Leather. Die Krewe du Vieux zieht in Esels- und handgezogenen Paradewagen durch das French Quarter, ebenso wie die Krewe of Barkus, eine Hundeparade. Eine Kuriosität sind die **Mardi Gras Indians,** afroamerikanische Fußtruppen, die am Mardi Gras v. a. in Uptown in aufwendigen Federkostümen als Indianer verkleidet unterwegs sind. Die bekanntesten sind Wild Tchoupitoulas, Wild Magnolias, Creole Osceloas, Spirit of Fi-Yi-Yi und die Golden Comanche.

Im **Cajun Country** - besonders um die Ortschaft Mamou - wird Mardi Gras ganz anders gefeiert: Im Morgengrauen ziehen die **Courirs du Mardi Gras** maskiert mit Hühnerdrahtmasken und harlekinesken, selbst gebastelten Kostümen zu Pferd von Farm zu Farm, wobei der (nicht maskierte) Capitaine mit gehisster weißer Flagge voranreitet und symbolisch die Erlaubnis einholt, den Hof betreten zu dürfen. Es wird getanzt, gesungen und getrunken; man bittet die Besitzer um einen Beitrag zum gemeinsamen Mahl am Tagesende, den Gumbo, oder um eine Geldspende: „Tit cinq sous!" („Gib mir fünf kleine Sous"). Mehl, Reis, Zwiebeln, Dollars oder - am liebsten - ein lebendiges Huhn werden gespendet. Der **Chicken Run,** das Fangen des Huhns, das zuvor hoch in die Luft geworfen wird, ist der größte Spaß. Am Nachmittag kehren die erschöpften (und manchmal auch alkoholisierten) Reiter zurück in ihre Ortschaft, wo der Eintopf bereits im Kessel köchelt ...

› *www.mardigrasneworleans.com, www.mardigrasguide.com, „Arthur Hardy's Mardi Gras Guide", jährlich erscheinendes Magazin*

Garden District/Uptown

Zugegeben, French Quarter, Central Business und Warehouse District bieten genug, um ein paar Besuchstage zu füllen. Nicht versäumen sollte man aber einen Abstecher in den Garden District bzw. nach Uptown inklusive eines Bummels auf der Magazine St.

❷❾ Magazine Street ★★ [em]

Zwischen Garden District und CBD, Jackson St. und Hwy. 90 erstreckt sich der **Lower Garden District**, ein Viertel, das bis 1988 dem Verfall preisgegeben war und durch die Magazine St. mit dem Warehouse District verbunden ist. Der Lower Garden District zeichnet sich heute durch eine bunt gemischte Bevölkerung aus und gilt mit seinen Boutiquen, Galerien, Antiquitätenshops und Cafés – konzentriert in der **Historic Magazine Row** (1800–2100er-Block), zwischen Louisiana St. und Napoleon Ave. (3100–4300er-Block) sowie Jefferson und Calhoun St. (5400er–6100er-Block) – als *fancy* und *hip*.

Die **Magazine St.** zieht sich parallel zur St. Charles Ave. hinauf bis zum Audubon Park in Uptown. Dank dem hier verkehrenden Bus Nr. 11 kann man abschnittsweise die Magazine entlangschlendern, einen Blick in Boutiquen und Shops, Galerien und Secondhandläden werfen und sich in einem der netten kleinen Cafés oder Lokale stärken, um dann wieder in den Bus einzusteigen.

> Anfahrt: Bus 11, verschiedene Stopps wie „Jackson" oder „Napoleon", www.magazinestreet.com

▷ *Im einstigen „amerikanischen Distrikt" leben noch heute die Reichen*

❸⓿ Central City/ Faubourg Lafayette ★ [A9]

Um den Martin Luther King Jr. Blvd., nördlich des Lower Garden District und der zentralen St. Charles Ave., liegt Central City mit dem Viertel Faubourg Lafayette, das früher ein kommerzielles Zentrum und Heimat vieler Musiker war, dann verfiel und sich nun wieder im Umbruch befindet. Dies liegt vor allem am **Southern Food & Beverage Museum** (s. S. 58), in dem kulinarische Spezialitäten aus fünfzehn Südstaaten und Washington vorgestellt werden. Dazu gehören das **Museum of the American Cocktail**, in dem man mehr zur Trinkkultur in N.O. erfährt, eine Demo-Küche und das Restaurant Toups South. Das Museum befindet sich in einer Halle des vormaligen **Dryades Market**, der 1849 eingerichtet worden war und bis in die 1990er-Jahre betrieben wurde.

In der gegenüberliegenden Halle befindet sich der **New Orleans Jazz Market** (s. S. 72), ein Musikzentrum und das Zuhause des New Orleans Jazz Orchestra. Im Umfeld wurden weitere Bauten renoviert und neue Lokale und Läden eröffnen, z. B. das **Orleans Coffee House** in der Veranstaltungs-/Kinohalle **Zeitgeist** und das **Café Reconcile**, in dem Kids aus Armenvierteln eine Ausbildungschance erhalten.

In eine ehemalige High School ist der **Dryades Public Market** (s. S. 77) eingezogen, ein Lebensmittelmarkt mit regionalen Produkten, Metzgerei, Bäckerei und Bar.

- 9 [A9] **Zeitgeist**, 1618 Oretha Castle Haley Blvd., www.zeitgeistinc.net
- 10 [A9] **Café Reconcile**, 1631 Oretha Castle Haley Blvd., www.cafereconcile.org

31 Garden District ★★★ [dm]

Wer in den Garden District kommt, glaubt sich in eine andere Welt versetzt. Hier offenbart New Orleans sein „Südstaatengesicht": Die Häuser, vorwiegend im Greek-Revival- oder viktorianischen Stil, sind von gepflegtem Grün umgeben, die Straßen ruhig und sauber.

Der Garden District entstand, nachdem infolge des Louisiana Purchase von 1803 (des Landerwerbs von Napoleon, s. S. 87) vermehrt Amerikaner in die Region strömten. Allerdings sollte es bis nach 1830 dauern, ehe er als Wohngebiet beliebt wurde. Damals waren zwei riesige Plantagen wegen eines Ehestreits verkauft und in kleine Parzellen unterteilt worden.

Bereits Mark Twain benutzte 1875 den Namen Garden District und aus derselben Zeit, d. h. der **zweiten Hälfte des 19. Jh.**, stammen die meisten Bauten. Die zugereisten Amerikaner wetteiferten mit den „Alteingesessenen", indem sie deren hochherrschaftliche Lebensweise übernahmen und (äußerlich/architektonisch) noch steigerten. Ihr „Southern Comfort" – der berühmte Likör aus New Orleans trägt nicht zu Unrecht diesen Namen – hat aus dem Viertel das **„Beverly Hills"** von New Orleans gemacht. Kein Wunder, dass Hollywood das von ziegelgepflasterten Gehwegen und schmiedeeisernen Gartenzäunen geprägte Ambiente gerne als Filmkulisse wählt.

Der für Besucher interessanteste Teil des Garden District beginnt an der Jackson und reicht bis zur Washington St. Der St. Charles Streetcar entstiegen fühlt man sofort das andere Flair. Entlang der First St. geht es in Richtung Mississippi bis zur Coliseum St., vorbei an einem Haus aus den 1840er-Jahren mit Greek-Revival-Fassade (Nr. 1407). Gegenüber von Nr. 1423 befindet sich das Haus von Archie Manning, einem ehemaligen Football-Star der Saints, dessen Söhne Payton (Denver Broncos) und Eli (New York Giants) in der NFL für Furore sorgten. Sie lernten quasi hier, auf der Straße, von ihrem Vater das „Handwerk" des Quarterbacks.

Über die Coliseum St. geht es in die Third St., wo mit dem **Robinson-Jordan House** (Nr. 1415), einem Antebellum-Bau von 1857 mit acht riesigen Räumen, das angeblich größte Gebäude im Garden District ins Auge fällt. Auch das **Musson House** (Nr. 1331), das einmal dem Onkel des Künstlers Edgar Degas gehörte, ist beeindruckend.

In der Prytania St. fungiert die **Sully Mansion** als Bed and Breakfast (Nr. 2631, http://sullymansion.com). Der Zaun des **Short-Moran House** (1448 Fourth St.), einer Italianate-Villa von 1859, kommt einem bekannt vor: Das Maiskolbendekor ist eine Nachbildung des berühmten Cornstalk Fence (s. S. 26), der sich in der 915 Royal St. im French Quarter befindet.

The Rink (2727 Prytania St.) ist ein ehemaliger Eislaufplatz, über dem ein kleines Shoppingcenter mit Cafés, Restaurants und dem schönen

Garden District/Uptown

Garden District Book Shop (www.gardendistrictbookshop.com, mit Lesungen) entstanden ist. Schräg gegenüber liegt der **Lafayette Cemetery** (s. S. 20), ab 1833 für irische und deutsche Siedler zur Zeit einer Gelbfieberepidemie angelegt. Gegenüber dem Friedhofseingang an der Washington Street fällt ein hellblaues, viktorianisches Gebäude ins Auge: **Commander's Palace** (s. S. 61), eines der Toprestaurants der Stadt.

Freret's Folly (2700 Coliseum St.) umfasst fünf identische, klassizistische Häuser, die Mitte des 19. Jh. von dem damals berühmten einheimischen Architekten William Freret als Spekulationsobjekte errichtet wurden. Dann verhagelte ihm jedoch der Bürgerkrieg die Geschäfte. Er konnte die Bauten nicht verkaufen und blieb – welche Torheit („folly") – darauf sitzen.

Das **Robinson House** (2520 Coliseum/Third St.) gehörte einst einem Tabakhändler, der die erste Wasserinstallation der Stadt einbauen ließ. Bekannt wurde das Haus wegen der Innendreharbeiten für den Film „Interview with the Vampire". Das Haus gegenüber (Nr. 2607) erinnert mit seiner „His & Her Staircase" an strenge Sitten: Damit die Männer nicht „unsittlich" auf die Gelenke der treppensteigenden Frauen sehen konnten – so eine der Erklärungen – wurden getrennte Aufgänge angelegt.

Zurück auf der Third St., wo ein Haus das andere zu übertreffen scheint, was Größe und Pracht betrifft, geht es vorbei an der Chestnut zur Camp St. Unterwegs trifft man auf das **Montgomery Hero House** (1213 Third St.), das erste Gebäude, das 1867 nach dem Bürgerkrieg entstand. Das **Warwick Aiken Manor** (2427 Camp St.) von 1852 wurde zeitweise als Schule genutzt und ist heute in fünf Apartments aufgeteilt. An der Ecke Camp/Second St. wohnte im **General Hood House** einmal der Oberbefehlshaber der Konföderierten im Bürgerkrieg.

In der First St. waren im **Carroll-Crawford House** (Nr. 1315) schon Edgar Degas und Mark Twain zu Gast. 1853 im Italianate-Stil erbaut, diente es schon des Öfteren als Filmkulisse. Das nahe **Brevard-Wisdom House** (Nr. 1239) wurde 1852 errichtet, bis 2004 lebte hier die Schriftstellerin Anne Rice, berühmt geworden durch ihre Vampirgeschichten. Das **Payne-Strachan House** (1134 First St.) war neun Jahre früher gebaut worden und zeitweise Wohnsitz von Jefferson Davis, dem Präsidenten der Konföderierten, der 1889 hier starb. In der Philip St. geht es vorbei am **Isaac-Delgado-Haus** (1220 Philip St., ca. 1850) und bereits nahe am Ausgangspunkt des Rundgangs steht das älteste erhaltene Haus im Garden District: das **Toby-Westfeldt House** (2340 Prytania St.), auch „Toby's Corner" genannt. 1832, als eine Bauvorschrift galt, die nur vier Häuser pro Block zuließ, baute Thomas Toby aus Philadelphia diese Villa auf einem der riesigen, begehrten Eckgrundstücke. Gegenüber ist im noblen **Bradish Johnson House** (1872) die **Louise-S.-McGehee-Mädchenschule** (Nr. 2343) untergebracht.

Kurz vor dem Erreichen des Streetcar-Stopps an der St. Charles Ave. kommt man noch an der **Women's Guild New Orleans Opera** (Nr. 2504), einem weiteren Antebellum-Haus, vorbei.

› **Anfahrt:** Als Ausgangspunkte für einen Spaziergang bieten sich an: die 14. Haltestelle („First St.") der grünen St. Charles Streetcar bzw. die Magazine St., erreichbar mit Bus 11 („First St." oder „Washington Ave.").

❸❷ St. Charles Ave./ Uptown ★ [dm]

Der Garden District ist genau genommen bereits Teil von **Uptown**, des *upriver* gelegenen **Nobelwohnviertels**. Entlang der **St. Charles Ave.** reihen sich nicht minder vornehme Villen aller Stile aneinander. Erst auf den zweiten Blick wird deutlich, dass es sich bei der Mansion mit der Hausnummer 5705, die 1941 erbaut wurde, um etwas Besonderes handelt, nämlich um einen **Nachbau von Tara**, des fiktiven Plantagenhauses von Scarlett O'Hara in „Gone with the Wind".

An der St. Charles Ave. konzentrieren sich mehrere angesehene (private) höhere Schulen und Universitäten. Dazu gehört die **Academy of the Sacred Heart** (Nr. 4521), eine katholische Mädchenschule in einem schlossartigen Bau. Die **Loyola University** (Nr. 6363) – die größte katholische Universität des Südens – wurde 1840 von Jesuiten als College of the Immaculate Conception gegründet und Anfang des 20. Jh. mit dem Loyola College (1904 gegründet) zusammengelegt.

Dank ihrer berühmten Rechtsfakultät, die auf den in Louisiana immer noch gültigen Code Napoléon spezialisiert ist, erlangte die private **Tulane University** (Nr. 6823), 1834 als Medical College of Louisiana eröffnet, Ruhm und Ehre. Direkt an der St. Charles Ave. befinden sich die repräsentativen Bauten der Universität, der übrige Campus erstreckt sich nach Norden hin.

Das Zentrum von Uptown bildet der **Audubon Park**. Die anlässlich der World's Industrial and Cotton Exposition, einer Weltausstellung im Jahr 1884, angelegte Parkanlage mit Lagunen, Rasenflächen und Baumbeständen, Golf- und Tennisplätzen, Schwimmbad, Jogging- und Trimmdich-Pfaden zerfällt in zwei Teile: Der Abschnitt zwischen St. Charles Ave. und Magazine St. dient fast ausschließlich der Erholung und sportlichen Aktivitäten, der Rest wird vom Zoo (s. S. 56) eingenommen.

› **Audubon Park:** https://audubonnatureinstitute.org/audubon-park, Anfahrt: St. Charles Streetcar, verschiedene Stationen wie „Tulane/Audubon Park"

City Park und Umgebung

❸❸ New Orleans Museum of Art/City Park ★★★ [ci]

Außer dem Audubon Park in Uptown gibt es eine weitere riesige Grünanlage, die Einheimische und Besucher zu Erholung oder sportlicher Betätigung einlädt. Der City Park nahe dem Lake Pontchartrain hat jedoch noch mehr zu bieten: z. B. das sehenswerte NOMA (Museum of Art) oder den Botanischen Garten.

Als erster städtischer Park der USA ist der City Park zugleich **einer der größten Stadtparks** – mit 610 ha immerhin doppelt so groß wie der Central Park in New York – mit vielseitigem Angebot: Seen, Inseln, immergrüne Eichen, ein Botanischer Garten, Golf- und Picknickplätze, das Pepsi Tennis Center, Bootsverleih und Angelsteg.

Im Südostteil des Parks liegt am Ende einer breiten Allee das **New Orleans Museum of Art** (NOMA). Das 1910 dank einer Spende von Isaac Delgado gegründete Museum befindet sich in einem Jahr später eröffneten Greek-Revival-Bau, dessen 46 Galerien mit 35.000 Objekten jährlich von über 300.000 Gästen besucht werden. Neben französischer Malerei (v. a. Degas) gibt es Bilder und Skulpturen von Picasso, Braque, Dufy und Miró, frühamerikanische Kunst von der präkolumbianischen Ära bis zur spanischen Kolonialzeit, amerikanische Möbel und Kunsthandwerk des 18. und 19. Jh., eine bedeutende Glassammlung (Fabergé), Renaissancekunstwerke (Kress-Sammlung), alte europäische Meister (15.–18. Jh.) sowie asiatische und afrikanische Kunst zu sehen. Auch die große Abteilung mit zeitgenössischer und moderner Kunst (u. a. Jean Arp, Jackson Pollock, Andy Warhol) sollte man nicht versäumen, v. a. aber gibt das Museum einen guten Überblick über moderne Künstler aus Louisiana.

Angrenzend an das Museum befindet sich rund um einen kleinen See der **Sydney and Walda Besthoff Sculpture Garden** (Collins Diboll Circle) mit über 60 Skulpturen schwerpunktmäßig aus dem 20. Jh. – u. a. von Botero, Henry Moore, Jacques Lipchitz, George Segal. Im Park befinden sich eine Aussichtsterrasse, Bänke und schöne Spazierwege – Kunst und Natur in perfektem Einklang!

Ein sehenswertes kleines Idyll stellt der hinter dem Museum befindliche **Botanische Garten** dar. Im Pavilion of the Two Sisters finden Veranstaltungen statt, daneben sind das Conservatory (Gewächshaus) mit tropischen Pflanzen, der Rosen- sowie der Azaleen- und Kameliengarten besuchenswert.

› **NOMA,** 1 Collins Diboll Circle (City Park), www.noma.org, Di.–Fr. 10–18, Sa. 10–17, So. 11–17 Uhr, Fr. bei „Friday Nights at NOMA" (Filmvorführungen, Lesungen, Vorträge, Musik) bis 21 Uhr geöffnet (s. Website), $ 15, Sculpture Garden tgl. 10–17/18 Uhr, Eintritt frei. Anfahrt: Canal Streetcar „City Park/Museum" (Endstation) oder Bus 91 „City Park/Museum". Mit gut sortiertem Laden und Café.

› **Botanischer Garten,** 5 Victory Ave., http://neworleanscitypark.com/botanical-garden, tgl. 10–17 Uhr, $ 8

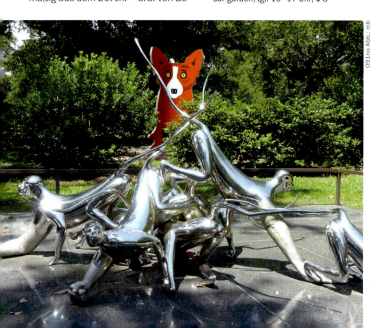

🄴 Pitot House Museum ★ [di]

Nicht weit entfernt vom NOMA 🄳 steht das **Pitot House Museum**, auch **Ducayet House** genannt. Das Plantagenhaus aus dem späten 18. Jh. im karibischen Stil ist ein seltenes Beispiel für die Architektur der französischen Kolonialzeit. **James Pitot**, ein in Frankreich geborener Sohn einer Familie aus Haiti, erwarb das Haus 1810 und ging als erster demokratisch gewählter Bürgermeister von New Orleans in die Lokalgeschichte ein.

Über einem Ziegelsockel erhebt sich eine einfache und luftige Hauskonstruktion mit Galerie. Die Schlichtheit setzt sich auch im Inneren fort. Im Besitz der Louisiana Landmarks Society wurde das Haus 1976 vollständig nach einem französischen Gemälde von 1830 renoviert. Es handelt sich um das einzige Plantagenhaus in der Stadt, das öffentlich zugänglich ist.

› 1440 Moss St. (City Park), Mi.–Sa. 10–15 Uhr stündlich Touren, $ 10, www.pitothouse.org, auch Lesungen u. a. Veranstaltungen. Anfahrt: Canal Streetcar „City Park/Museum" (Endstation) oder Bus 91 „City Park/Museum"

🄵 Longue Vue House and Gardens ★ [bj]

Ein Stück südwestlich des City Park, nahe der Autobahn I-10, befindet sich Longue Vue House and Gardens. Obwohl nicht sehr alt, ist der Komplex dennoch beeindruckend: 1939 bis 1942 im klassizistischen Stil erbaut, lehnt es sich formal an alte englische Landhäuser an und zeigt originale englische und französische Möblierung des 18. und 19. Jh. Das Haus des **Philanthropen Edgar Bloom Stern** und seiner Frau, einer Tochter des Kaufhausmagnaten Sears, fungierte einst als kultureller Mittelpunkt der Stadt und beherbergt noch heute eine exzellente private **Sammlung moderner Kunst**.

Die herrliche **Gartenanlage** besteht aus unterschiedlich gestalteten Einzelgärten mit 25 Brunnen. Sie wurde

Lakeview/ Lake Pontchartrain

Der See im Norden der Stadt, etwa 65 km lang und 40 km breit, hieß in der Indianersprache „Okwata" („weites Wasser"), was sich erklärt, wenn man am Seeufer steht. Die Europäer benannten ihn nach dem französischen General Pontchartrain. Segeln und Fischen sind heutzutage die Lieblingsbeschäftigungen der New Orleaneans - eines ist jedoch in der scheinbaren Idylle nicht möglich: Baden. Dazu hat sich die Wasserqualität nach Jahrzehnten der Vernachlässigung noch nicht hinreichend erholt.

Der See wird von der mit 40 km längsten Brücke der Welt überquert, dem **Lake Pontchartrain Causeway.** *Die Brücke führt mit Ausnahme von 2 Kilometern ausschließlich über Wasser und zeitweise hat man den Eindruck, das offene Meer zu überqueren.*

Landry's Seafood House *(s. S. 67) ist ein beliebtes Fischlokal direkt am See (nahe dem Jachthafen) in West End, ein Viertel, das nach der Zerstörung durch Hurricane Katrina derzeit ein Revival als Wohn- und Ausflugsziel erlebt.*

◁ *„Roter Hund" von George Rodrigue im Sculpture Garden*

1942 von Ellen Biddle Shipman, einer der ersten Landschaftsarchitektinnen mit überwiegend weiblichen Mitarbeitern, angelegt und ist seit 1969 öffentlich zugänglich.

› 7 Bamboo Rd., Metairie, Mo.–Sa. 10–17, So. 13–17 Uhr, bis 16 Uhr stündlich Haustouren, $ 12, www.longuevue.com, nicht mit dem öffentl. Nahverkehr erreichbar.

Ausflüge ins Umland

Der Bundesstaat Louisiana vereint gegensätzliche Welten: Sümpfe und Marschland, das pulsierende New Orleans und verschlafene Landstädtchen, Ol'Man River und Bayous, Industrie und Zuckerrohrfelder, Plantagenhäuser und Stelzenhütten, Cajun- und Wildwestmentalität und ein buntes Völkergemisch aus Afrikanern, Briten, Deutschen, Caribbeans, Franzosen, Spaniern und indianischen Ureinwohnern.

Die gegensätzlichen Welten um New Orleans lassen sich mit einem Mietwagen in kurzen oder längeren Ausflügen erkunden bzw. als Stationen auf einer Rundreise durch den Süden einplanen. Es sollen nachfolgend nur einige lohnende Ziele bzw. Attraktionen herausgegriffen werden.

36 Gretna ★ [en]

Gretna gilt als **Zentrum der German Coast**. Hier ließen sich viele deutsche Einwanderer nieder, die einst von den Franzosen nach dem 30-jährigen Krieg als Neusiedler angeworben worden waren. An sie erinnert das **German-American Cultural Center**.

Der **Gretna Historic District** (ausgeschildert) ist einer der größten der USA und besteht aus etwa 700 Bauten. Idealer Ausgangspunkt für eine Besichtigungstour ist das **Gretna Heritage House Welcome Center** in einem historischen Bau von 1840. Hier erhält man auch Infos zum **Gretna Historical Society Museum** an der Riverpromenade nahe der Jackson Ave. Ferry. Das **White House**, Mitte des 19. Jh. als Wohnhaus des Dorfschmieds erbaut, dient als Empfangsgebäude zu dem Museumskomplex. Dahinter, im kleinen Park, befinden sich der **Gretna Green Blacksmith Shop** und drei Cottages.

Neben dem White House befindet sich das herausgeputzte **Old Firehouse**. Der Bau stammt aus dem Jahr 1859 und diente als Sitz der 1841 gegründeten David Crockett Volunteer Fire Co. No. 1, der ältesten immer noch aktiven Freiwilligen Feuerwehr der USA. Zum Komplex gehört auch das **Kittie Strehle House**, das einzige original möblierte Cottage in der Region aus den 1840er-Jahren, bewohnt von der Tochter eines deutschen Immigranten.

Das Ortszentrum nahe der Fährenlegestelle wird von der **City Hall** von 1907 dominiert, direkt dahinter erinnern zwei Bahnhöfe an „goldene Eisenbahnzeiten": das **Depot der Texas & Pacific Railroad** und das gegenüberliegende **Southern Pacific Depot** (1906) mit zugehörigem roten **Caboose** (Begleitwagen) und vielen Memorabilien.

› Infos (auch zu den Museen): www.gretnala.com

🏛 11 [fn] German-American Cultural Center and Museum, 519 Huey P. Long Ave., Tel. 504 3634202, www.gacc-nola.org, Mi.–Sa. 10–15 Uhr

❶ 12 [fn] Gretna Heritage House Welcome Center, Heritage Sq./1035 Huey P. Long Ave., Tel. 504 3631580, Mo.–Fr. 9–12, 13–15 Uhr

Ausflüge ins Umland

🏛 **13** [fn] **Gretna Historical Society Museum,** 209 Lafayette St. Infos zu Öffnungszeiten erhält man im Heritage House Welcome Center.

㊲ Chalmette Battlefield and National Cemetery ★ [S. 144]

Das **Chalmette Battlefield** ist ein Teil des **Jean Lafitte National Historical Park.** An diesem Ort fand der berühmte **Battle of New Orleans,** die letzte Schlacht im War of 1812, statt. Am 8. Januar 1815 besiegte der General und spätere Präsident Andrew Jackson die britischen Truppen in einer Schlacht, die eigentlich unnötig war, da bereits wenige Tage zuvor in Europa ein Friedensvertrag geschlossen worden war.

Das weithin sichtbare **Beauregard-Haus** stand während der Schlacht noch nicht an diesem Ort, es wurde erst später errichtet. Steigt man auf den Deich hinauf, hat man einen guten Blick auf den Hafen. Fast noch besser ist der Blick vom **Chalmette Monument,** einem rund 30 m hohen Obelisk.

Das **Visitor Center,** das nach Katrina erbaut wurde, informiert mit Film und Ausstellung ausführlich über den Krieg und die Schlacht. Über das einstige Schlachtfeld führt eine **Rundstrecke,** in deren Verlauf Schautafeln über den Gang der Ereignisse informieren. Angrenzend an das Schlachtfeld liegt der **Chalmette National Cemetery,** ein Friedhof für Kriegsveteranen.

› 8606 W St. Bernard Hwy. (LA 46), Chalmette, www.nps.gov/jela/chalmette-battlefield.htm, tgl. 9–16 Uhr, Chalmette Monument Fr./Sa. 9–15.30 Uhr, Eintritt frei, Anfahrt: kein öffentlicher Nahverkehr, aber Stopp des Paddlewheelers Creole Queen (s. S. 122)

㊳ Plantation Road ★★ [S. 144]

Die Strecke zwischen New Orleans und Louisianas Hauptstadt Baton Rouge hat entlang dem Mississippi eine Reihe **sehenswerte Plantagenhäuser** zu bieten. Zu Beginn des 18. Jh. begannen Franzosen und Briten mit Zuckerrohr-, Indigo-, Tabak- und Baumwollanbau. Die meisten erhaltenen Gebäude stammen aus der Mitte des 19. Jh. und wechseln sich entlang dem Mississippi mit hässlichen Ölfirmen und Zuckerrohrfeldern ab. Einige Villen kann man nicht nur besichtigen, sondern man kann dort auch nächtigen.

› **Allgemeine Infos:**
https://plantationparade.com

🏛 **14 Destrehan Plantation,**
13034 River Rd./SR 48, Destrehan, www.destrehanPlantation.org, Touren tgl. 9–16 Uhr, $ 22. Um 1790 erbaute, älteste erhaltene Plantage der Region.

🏛 **15 Houmas House Plantation,** 40136 River Rd./SR 942 Burnside, https://houmashouse.com, Touren tgl. 9–19 Uhr, $ 24. Das Haupthaus entstand um 1840 und war Zentrum einer riesigen Zuckerrohrplantage. Shop und empfehlenswertes Cabin Restaurant in einem ehemaligen Sklavenhaus, außerdem Inn mit schönen B&B Cottages zum Übernachten.

🏛 **16 Laura Plantation,** 2247 LA Hwy. 18, River Rd., Vacherie, www.lauraplantation.com, Touren tgl. 10–16 Uhr, $ 25. 1805 entstanden und nach einem Brand 2004 renoviert. Zwölf historische Sklavenhütten sind erhalten und es gibt Touren mit Informationen zum Leben der Sklaven, basierend auf den Tagebüchern der ehemaligen Besitzerin Laura Locoul.

🏛 **17 Nottoway Plantation,** 31025 LA Hwy. 1, White Castle, Touren tgl. 9–16 Uhr, $ 20, www.nottoway.com. Vielleicht luxuriöseste Plantation, umgebaut zu einem Bed and Breakfast mit Zimmern, Suiten und Cottages und umgeben von einer großen Gartenanlage.

18 Oak Alley Plantation, 3645 LA Hwy. 18, Vacherie, www.oakalleyplantation.com, Touren tgl. 9–17 Uhr, $25. Berühmte, 400 m lange Eichenallee. Die Zahl der zu Beginn des 18. Jh. gepflanzten Bäume – 28 – wird von den dorischen Säulen des 1837 bis 1839 im Greek-Revival-Stil erbauten Wohnhaus aufgenommen – mit Cottages zum Übernachten.

19 San Francisco Plantation, Drawer AX Hwy. 44, Reserve, www.sanfranciscoplantation.org, Touren tgl. 9.40–16 Uhr, $20. 1853 bis 1856 erbautes, architektonisch sehenswertes Gebäude (Greek Revival und viktorianisch), Innenausstattung mit Originalmöbeln, Holzdecke mit Deckenfresken und Trompe-l'oeil-Effekten.

39 Baton Rouge ★★ [S. 144]

Als Geburtsstunde der Hauptstadt von Louisiana (ca. 230.000 Einwohner) gilt der 17. März 1699. Damals erreichte die Expedition von **Pierre Le Moyne, Sieur d'Iberville,** die Region. Der Franzose verlieh dem Ort seinen Namen („roter Stock"), der einer Legende nach auf zwei rivalisierende Indianerstämme zurückgeht: Die Bayougoulas und die Houmas markierten ihre Grenze mithilfe eines mit Tierblut beschmierten Zypressenstamms.

1736 ging die Stadt an die Briten, die hier bis 1779 ein Fort unterhielten, ehe sich die Spanier niederließen. Obwohl 1803 die USA Frankreich „ganz Louisiana" abkauften, blieb Baton Rouge zunächst spanisch, da es von Spanien als Teil New Mexicos betrachtet wurde. Nach einem kurzen Zwischenspiel als „Republic of West Florida" wurde der Ort 1810/11 Teil der USA und 1849 zur **Hauptstadt Louisianas.**

Erste Anlaufstation bei einem Besuch sollte das moderne **Capitol Park Museum** (s. S. 49) sein, das Teil des Louisiana State Museums ist. In zwei Abteilungen, „Grounds for Greatness" und „Experiencing Louisiana", erhält man einen umfassenden Einblick in die Geschichte und Mentalität der Bewohner von Louisiana.

Blickfang in dem sich nördlich anschließenden Park ist das **Louisiana State Capitol** (s. S. 49), mit 34 Stockwerken das höchste Regierungsgebäude Amerikas. Es wurde 1932 – während der Depression – im Auftrag von Governor Huey P. Long im Art-déco-Stil erbaut. Long wurde 1935 hier ermordet, in den State Capitol Gardens beerdigt und mit einer Statue vor dem Gebäude geehrt. Bis heute gilt er als einer der schillerndsten und umstrittensten Politiker des Südens, der sich als Anwalt der „kleinen" Leute sah.

Am Fuße des Louisiana State Capitol liegen die **Governor's Mansion,** Replik eines Antebellum-Hauses, und die um einen Innenhof angelegten **Pentagon Barracks,** ein 1812 ausgebauter alter Militärposten von 1779.

An der sich südlich anschließenden Mississippi-Promenade ist das **Louisiana Old State Capitol** (s. S. 50) – mit schöner Wendeltreppe, Fresken von Conrad Albrizio (1930) und einer interessanten Ausstellung zur Geschichte des Staates – die Hauptattraktion. Bis 1932 fungierte das wegen seines festungsartigen Aussehens auffällige „Louisiana Castle" als Regierungssitz. Der eigenwillige Bau entstand 1849 im gotisierenden Stil.

Das gegenüberliegende River Center mit dem **Louisiana Art and**

▷ *Ungewöhnlicher Regierungssitz: das Louisiana State Capitol*

Science Museum (LASM) (s. rechts) ist in einer Bahnstation von 1925 untergebracht und leitet über zu River Place mit Promenade und Pavillon. Ein paar Schritte weiter befindet sich am Wasser das **USS Kidd Veterans Museum** (s. S. 50) mit Schiffsmodellen, Infos zur Schifffahrt und dem Kriegsschiff **USS Kidd**.

Abgesehen von Regierungsbauten und Staatsangestellten sind es die **Louisiana State University** (5 km südl. von Downtown, s. rechts) und ihre Studenten, die das Bild der Stadt bestimmen. Die Universität wurde 1869 von Alexandria nach Baton Rouge verlegt. Die meisten Bauten im klassizistischen Stil und der parkartige Campus stammen aus dem frühen 20. Jh. und wurden u. a. von den Olmsted-Brüdern, den Söhnen von Frederick Law Olmsted, dem berühmten Planer des New Yorker Central Park, konzipiert und von dem deutschstämmigen Architekten Theodore C. Link realisiert. Unbedingt besuchen sollte man das Tigergehege von Mike, dem Maskottchen der Uni, neben dem **Tiger Stadium.** Das Stadion ist mit über 100.000 Plätzen eine der größten Unisportstätten weltweit und Heimat der **Tigers**, der Uni-Football-Mannschaft.

› Infos: www.visitbatonrouge.com

20 Capitol Park Museum, 660 N 4th St., https://louisianastatemuseum.org/museum/capitol-park-museum, Di.–Sa. 9–16.30 Uhr, $ 6

21 Louisiana Art and Science Museum (LASM), 100 River Rd., www.lasm.org, Di.–Fr. 10–15, Sa. 10–17, So. 13–16 Uhr, $ 9 (mit Planetarium)

22 Louisiana State Capitol, N 3rd St./ State Capitol Dr., Observation Deck (27. Stock), tgl. 8.30–16 Uhr, Eintritt frei

●**23 Louisiana State University Visitor Center**, 3357 Highland Rd./Dalrymple Dr., www.lsu.edu, Mo.–Fr. 9–16.30 Uhr

50 Ausflüge ins Umland

⌂24 LSU Tigers Shop, N Stadium Dr., Mo.–Fr. 9–18, Sa. 10–17, So. 12–17 Uhr. Das Souvenir-"Kaufhaus" der LSU-Tigers-Mannschaften. Gleich daneben befindet sich das topmoderne, geräumige Gehege des Maskottchens „Mike the Tiger".

🏛25 Old State Capitol, 100 North Blvd., Di.–Fr. 10–16, Sa. 9–15 Uhr, Eintritt frei, www.louisianaoldstatecapitol.org.

🏛26 USS Kidd Veterans Museum, 305 S River Rd., www.usskidd.com, Mo.–Fr. 9.30–15.30, Sa./So. 10–16 Uhr, $ 10,40

④ Lafayette – die Cajun Capital ★★ [S. 144]

Mit seinen gut 130.000 Einwohnern nennt sich **Lafayette** heute stolz „Cajun Capital", dabei war die Stadt erst um 1823 unter dem Namen Vermilionville und als Zentrum des neuen Lafayette Parish entstanden. 1844 benannte man sie nach dem französischen Marquis de Lafayette, dem Held des amerikanischen Unabhängigkeitskrieges, um. Zentral im Cajun Country gelegen, war die Stadt im Nordwesten von Prärie und Wäldern, im Südosten von Sümpfen und Bayous und im Südwesten von Marschland umgeben.

An das historische **Vermilionville** erinnert heute ein gleichnamiges, **rekonstruiertes Museumsdorf** (s. S. 52). Hier wird anhand von Bauten und mit Akteuren in Originalkostümen sowie Demonstrationen das Leben der Cajuns zu Anfang des 19. Jh. nachgestellt. Auch im **Acadian Village** (s. S. 52) hat man eine Cajun-Siedlung des 19. Jh. rekonstruiert. In erster Linie fungiert dieses Open-Air-Museum mit historischen und rekonstruierten Bauten jedoch als **Kulturzentrum** und man legt besonderen Wert auf historische Authentizität.

In der Innenstadt, die sich jeden April beim **Festival International de Louisiane** (s. S. 52) für fünf Tage in eine Riesenbühne verwandelt, fallen Bauten wie das Courthouse und die City Hall, besonders aber eine Reihe von **Wandbildern** (v. a. entlang Jefferson und W Vermilion St.) ins Auge. Zu den modernen Kunstwerken der Stadt gehört auch das **Henry Wadsworth Longfellow Monument** (100 Asma Blvd.). Die Statue des berühmten Schriftstellers, der mit seinem Gedicht „Evangeline" der Vertreibung der Cajuns aus Kanada ein literarisches Denkmal setzte, stammt vom bekannten lokalen Künstler George Rodrigue (1944–2013), der durch seine Hundefiguren (s. S. 59) berühmt geworden ist.

Die alles überragende **Cathedral of St. John the Evangelist & Oak Tree** (914 St. John St.) entstand 1912 bis 1916 als katholischer Bischofssitz.

△ *Ein Cajun Fiddler in Vermilionville*

„Lâche pas la patate" – Besuch im Cajun Country

Die Lust an ausgelassenen Feiern, südländisches Temperament, Lebensfreude und Familiensinn prägen die **Cajuns**, Nachkommen der ersten Weißen, die nach Kanada auswanderten, dort von den Briten vertrieben wurden und ausgerechnet in der Sumpfregion westlich von New Orleans eine neue Heimat fanden. Nach ihrer **Vertreibung aus Kanada** 1755 erreichten die ersten Cajuns nach mehrjähriger Irrfahrt und über mehrere Stationen Louisiana, wo bereits Franzosen siedelten. Die einen ließen sich entlang dem Mississippi nördlich der Stadt – in den Wetlands entlang des Bayou Lafourche – nieder, andere überquerten das Atchafalaya Basin und siedelten im Land der Attakapas- und Opelousas-Indianer im Südwesten des heutigen Bundesstaates.

Die Cajuns – der Name ist eine Verballhornung von *„L'A(r)cadie"*, wie Nova Scotia genannt wurde – pflegen bis heute ihr antiquiertes, „unreines" Acadian French, halten an Traditionen und Kochkunst fest und rechtfertigen ihre Eigenheiten mit einem Schulterzucken und dem Motto: „Lâche pas la patate!" („Nur nicht unterkriegen lassen!") Längst haben sie sich mit anderen Zuwanderern und den Ureinwohnern vermischt und heute ist es schwierig, noch zu definieren, wer oder was ein echter Cajun ist. Nach einem alten Sprichwort kann man auf drei Arten Cajun werden: „By the blood, by the ring or by the back door".

Wenn am Samstagabend die Band aufspielt, heißt es **„Fais-Do-Do"** und dann sind alle Sorgen vergessen. „Fais-Do-Do" hat mit dem eigentlichen Wortsinn („Schlafengehen") wenig zu tun, vielmehr geht es auf den Tanzböden der „dance halls", die hiesigen Bierzelten gleichen, heiß her: Man genießt die Nationalgerichte, zum Beispiel Krabben, Langusten und Krebse, Gumbo und Brotpudding, Alligatorfleisch, Austern und Spanferkel. Dazu fließt Bier in Strömen und Bands spielen Cajun- und Zydeco-Musik (s. S. 100).

Neben **Zuckerrohr-** sind der **Reisanbau** und Zuchtfarmen für Langusten **(crawfish)** traditionelle Standbeine der Landwirtschaft im Cajun Country. Da Reis nur eine kurze Vegetationsphase von April bis August hat, werden die Felder anschließend geflutet und für die Zucht von Meeresfrüchten genutzt. **Catfish** (Wels) und **Austern** werden ebenfalls gezüchtet und daneben spielt die Fischerei noch immer eine wichtige Rolle. Wirtschaftlich die Nummer 1 sind jedoch die Öl-, die Gas- und die Chemieindustrie.

Zuckerrohrfelder und Crawfish-Farmen, Plantagenhäuser und verschlafene Dörfer, Bayous und Mangrovensümpfe – all das kann man auf einer Fahrt durchs Cajun Country kennenlernen. Der US Highway 90 führt von New Orleans direkt hinein, vorbei an Ortschaften wie **Houma, Morgan City, New Iberia** ❹❶, **Lafayette** ❹⓿ oder **Lake Charles.** Daneben lohnen Abstecher in Ortschaften im Hinterland wie **Thibodeux, St. Martinville** (genannt „Le Petit Paris" und Heimat von „Evangeline", s. S. 50), **Eunice** (die „Prairie Cajun Capital"), **Opelousas** (Geburtsort des Zydeco) oder **Mamou.**

› Infos: www.louisianatravel.com

Ausflüge ins Umland

EXTRATIPP

Jean Lafitte National Historical Park

Der in New Orleans beheimatete **Jean Lafitte National Historical Park** betreibt außer dem Chalmette Battlefield ❸ im Cajun Country drei sehenswerte Museen (alle Eintritt frei), die sich mit unterschiedlichen Aspekten der Geschichte und des Lebens der Cajuns in der jeweiligen Region beschäftigen. Dazu gibt es ein Naturschutzgebiet im Südwesten von New Orleans mit Trails (Barataria Preserve).

Es werden verschiedene **Touren** und **Veranstaltungen** angeboten. Infos zu allen gibt es unter www.nps.gov/jela.

27 Acadian Cultural Center, 501 Fisher Rd., Lafayette, Di.-Fr. 9-16.30, Sa. 8.30-12 Uhr, frei

28 Barataria Preserve, 6588 Barataria Blvd., SR 45, Crown Point, Visitor Center Mi.-So. 9.30-16.30 Uhr

29 Prairie Acadian Cultural Center, S 3rd St./250 W Park Ave., Eunice, Mi.-Fr. 9.30-16.30, Sa. bis 18 Uhr

30 Wetlands Acadian Cultural Center, 314 St. Marys St., Thibodaux, Mo./Di. 9-19, Mi.-Fr. bis 17 Uhr, Mo. 17.30-18.30 Uhr Konzerte

Die Eiche auf dem Vorplatz ist legendär: Sie soll nicht nur über 450 Jahre alt sein, sondern zugleich mit einem Stammumfang von rund 8 m, fast 40 m Höhe und über 60 m Kronenumfang einer der mächtigsten Bäume der USA sein.

› Infos: www.lafayettetravel.com

31 LARC's Acadian Village, 200 Greenleaf Dr., www.acadianvillage.org, Apr.-Okt. Mo.-Sa. 10-16 Uhr, $ 9

32 Vermilionville, 300 Fisher Rd., www.vermilionville.org, Di.-So. 10-16 Uhr, $ 10, verschiedene Veranstaltungen sowie ein Lokal und ein Shop.

› Ende April: **Festival International de Louisiane.** Kulturfestival mit Musik und kulinarischem Angebot (https://festival international.org)

Wie die Cajuns einst lebten, sieht man im Acadian Village

41 „Queen City"
New Iberia ★★★ [S. 144]

New Iberia nennt sich nicht zu Unrecht „Queen City of the Teche". Die sehenswerte historische Innenstadt am Bayou Teche mit der Plantagenvilla Shadows-on-the-Teche, besuchenswerten Parks im Umland, einer Reismühle und der Tabascosoßenfabrik lohnen einen Besuch im Heimatstädtchen des Krimiautors James Lee Burke und des Künstlers George Rodrigue.

Entstanden ist das Städtchen mit seinen heute über 30.000 Einwohnern 1779 als Gründung spanischer Siedler aus Málaga und von den Kanarischen Inseln. Für einen Boom sorgten der Zuckerrohranbau ab 1825 und der Anschluss an die Eisenbahn 1879. Heute dient der beachtliche Hafen als Versorgungszentrum für die Offshore-Ölförderanlagen im Golf von Mexiko und als Fischereizentrum. Auch Zuckerrohr und Reis werden in der Gegend großflächig angebaut.

Über die Geschichte der Region und ihrer Menschen informiert das überaus sehenswerte **Bayou Teche Museum** (s. S. 54) an der Hauptstraße neben dem historischen Evangeline Theater. Nach einem instruktiven Video bewegt man sich entsprechend den Windungen des Bayou Teche durch die einzelnen Ausstellungsabteilungen. Dabei wird die Stadtgeschichte anhand verschiedener Aspekte – Geschichte, Traditionen, Industrie, Landwirtschaft (v. a. Zuckerrohr), Fischerei oder Schifffahrt – und mit modernen Medien, Fotos, Dokumenten, Rekonstruktionen und interaktiven Ausstellungsstücken sowie Relikten aufbereitet.

Neben dem **Historic District** (v. a. Main, Weeks und St. Peter St.) ist Shadows-on-the-Teche (s. S. 54) eines der Highlights im Cajun Country. Die Pflanzervilla von 1834 erinnert an die Vergangenheit der Region als Zuckerrohranbaugebiet und vermittelt eine gute Vorstellung von Konstruktion und Aussehen eines Antebellum-Plantagenhauses – Antebellum bedeutet, dass das Gebäude vor dem Bürgerkrieg entstanden ist. Am Bayou Teche gelegen, war dieses Haus vom reichen Zuckerrohrpflanzer David Weeks im Classical-Revival-Stil erbaut worden.

Die **Conrad Rice Mill – Konriko** (s. S. 54) ist die älteste noch betriebene Reisfabrik in den USA und stammt aus dem Jahr 1912. Abgesehen von Touren gibt es einen gut sortierten Laden. In der etwa 15 km entfernt auf Avery Island gelegenen **Tabascosoßenfabrik** der McIlhenny Company können Besucher in der Fabrik und auf dem Gelände mit Pepper Greenhouse und Barrel Warehouse sowie im Museum den Herstellungsprozess der feurigen Soße kennenlernen und anschließend im großen **Tabasco Country Store** testen und kaufen. In den nahegelegenen **Jungle Gardens of Avery Island** (s. S. 54) gibt es dann Gelegenheit, Alligatoren, Schildkröten und allerhand Vögel „live" zu sehen. Der riesige Garten wurde im 19. Jh. vom Naturforscher E. A. McIlhenny, dem Sohn des Soßenerfinders, auf der 15 km² großen Insel angelegt und dient heute als Naturschutzgebiet.

Unter dieser Insel erstrecken sich zahlreiche Salzstöcke. Gleiches gilt für die **Rip Van Winkle Gardens** (s. S. 54) auf Jefferson Island, ca. 10 km westlich von New Iberia. Kernstück dieser semitropischen Parklandschaft am Lake Peigneur ist das prächtige viktorianische Wohn-

Tabasco – Hot Stuff

Als sich **Edmund McIlhenny**, Banker schottisch-irischer Abstammung, Gourmet und Fan der Cajun-Küche, eher aus Spaß daran machte, die unbändig wachsenden Pfefferschoten in seinem Garten „sinnvoll" zu verwenden, konnte er noch nicht ahnen, zu welchem Welterfolg ihm sein „heißes" rotes Gebräu verhelfen sollte.

Er warf die **Pfefferschoten** von Capsicum-Pflanzen, die er nach dem Bürgerkrieg auf Avery Island angebaut hatte, in ein altes Whiskeyfass, zerstampfte sie und gab eine Handvoll **Salz** aus dem heimischen Salzstock dazu. Nach Abschluss des Fermentationsprozesses goss er das Gemisch in einen größeren Bottich, versetzte es mit *französischem Essig* und ließ es noch einmal 30 Tage stehen. Nachdem die Schotenreste abgesiebt waren, blieb ein teuflisch-scharfes, rotes Gebräu übrig, das McIlhenny in ein ehemaliges Parfümfläschchen seiner Frau füllte – und das begeistert angenommen wurde.

McIlhennys Rezept wurde patentiert und wird heute in beinahe unveränderter Form – ohne Konservierungsstoffe – verwendet. Anders verhält es sich mit dem Rohstoff, den Pfefferschoten. Den Grundstock bilden zwar weiter alte Pflanzen, aber längst muss aus Mittelamerika dazugekauft werden, produziert der Familienbetrieb heute doch täglich rund 400.000 Fläschchen und verschickt sie in über 100 Länder.

haus des Schauspielers Joseph Jefferson von 1870. In die Schlagzeilen geriet der Salzstock 1980, als bei Ölbohrungen eine unterirdische Höhle getroffen wurde, die sich mit Wasser füllte und eine enorme Sogwirkung an der Oberfläche und große Zerstörungen verursachte. Nur etwa 15 km nördlich liegt am Bayou Teche das beschauliche, 1760 gegründete **St. Martinville**, die eigentliche Heimat des Epos „Evangeline". Vieles im Ort erinnert daran: die Evangeline Oak neben der St. Martin de Tours Catholic Church (Main St.) mit dem Evangeline Monument oder die Longfellow-Evangeline State Commemorative Area (Oliver Plantation, 1200 N. Main St.).

> **Infos:** www.cityofnewiberia.com

🏛 **33 Bayou Teche Museum**, 131 E Main St., www.bayoutechemuseum.org, Do.–Sa. 10–16 Uhr, $ 5

🏛 **34 Conrad Rice Mill – Konriko**, 307 Ann St., www.conradrice.com, Mo.–Sa. 9–17 Uhr, Touren 10/11/13/14/15 Uhr, $ 4

🏛 **35 Jungle Gardens of Avery Island**, Avery Island, www.junglegardens.org, tgl. 9–17 Uhr, $ 8 bzw. $ 12,50 inkl. Tabasco-Firmenbesichtigung

🏛 **36 Rip Van Winkle Gardens**, 5505 Rip Van Winkle Rd., www.ripvanwinklegardens.com, tgl. 9–17, Haus 10–16 Uhr, $ 12

🏛 **37 Shadows-on-the-Teche**, 317 E Main St., www.shadowsontheteche.org, Mo.–Sa. 9–16 Uhr, Touren $ 10,50, regelmäßig Kunsthandwerksmärkte

🍴 **38 St. John Restaurant** $$, 203 N New Market St., St. Martinville, www.thestjohnrestaurant.com. Typisches Cajun-Lokal in einem renovierten Lagerhaus am Bayou Teche.

🏛 **39 Tabasco VC**, Avery Island, www.tabasco.com/visit-avery-island, tgl. 9–16 Uhr, Museum und Tour $ 5,50

New Orleans für Kunst- und Museumsfreunde

Etliche der Museen sind Teil des Louisiana State Museum (http://louisianastatemuseum.org). Übergreifend informiert www.neworleans.com/things-to-do/cultural-arts/museums über Museen und sonstige Sehenswürdigkeiten.

Museen

40 [E6] **Audubon Nature Institute – Aquarium of the Americas,** 1 Canal St., https://audubonnatureinstitute.org/aquarium, tgl. 10–17 Uhr (im Sommer je nach Tageslicht länger), $ 29,95 (plus *tax*), verschiedene Kombitickets, mit Shop und Cafés, Anfahrt: Canal Streetcar/Riverfront Streetcar sowie Bus 5 bis „Canal St.". Besonders sehenswert sind die Abteilungen „Geaux Fish", „Mississippi River" und „Gulf of Mexico".

41 [E6] **Audubon Nature Institute – Insectarium,** 423 Canal St., https://audubonnatureinstitute.org/insectarium, tgl. 10–16.30 Uhr, $ 22,95, Anfahrt: Canal Streetcar „Ferries" (Endstation).

42 [an] **Audubon Nature Institute – Zoo,** 6500 Magazine St., https://audubonnatureinstitute.org/zoo, Di.–Fr. 10–16, Sa./So. bis 17 Uhr, $ 22,95, Anfahrt: St. Charles Streetcar „Audubon Park/Zoo" bzw. Bus 11 (Endstation „Zoo")

43 [E2] **Backstreet Cultural Museum,** 1116 Henriette Delille St., www.backstreetmuseum.org, Mo.–Fr. 11–17, Sa. 10–15 Uhr, $ 10. In dem kleinen Museum in Tremé geht es um die Mardi Gras Indians (s. S. 39), Jazz Funerals und Second-Line Parades. Zu sehen sind auch Kostüme und alte Fotos.

16 [F3] **Beauregard-Keyes House.** In dieser 1826 erbauten Stadtvilla mit Garten lebte die Schriftstellerin Frances Parkinson Keyes. Ausgestellt sind Mrs. Keyes Sammlungen antiker Puppen, Teekannen, Fächer und Kostüme (s. S. 27).

3 [E4] **Cabildo.** In dem einstigen spanischen Verwaltungsbau befindet sich heute ein Museum zur Stadtgeschichte (s. S. 15).

37 [S. 144] **Chalmette Battlefield.** Das Schlachtfeld des „Battle of New Orleans" (Januar 1815) liegt 10 km südöstlich der Stadt (s. S. 47).

44 [C8] **Confederate Memorial Hall Museum,** 929 Camp St., https://confederatemuseum.com, Di.–Sa. 10–16 Uhr, $ 10. Ältestes Museum in Louisiana mit Memorabilien des Bürgerkriegs wie Uniformen, Waffen, Abzeichen usw.

› **Contemporary Arts Center (CAC)** (s. S. 72). Wechselausstellungen, Mi.–Mo. 11–17 Uhr, $ 10.

14 [F3] **Gallier House Museum.** Das 1857 bis 1860 errichtete Wohnhaus des Architekten James Gallier Jr. gehört zu den architektonischen Schätzen der Stadt und ist auch innen sehenswert (s. S. 26).

11 [D4] **Hermann-Grima House.** 1831 von William Brand für den jüdischen Immigranten Samuel Hermann aus Frankfurt/Main erbautes Haus mit Garten, Pferdestall und separater Küche. Im Inneren legt es Zeugnis von der hochherrschaftlichen und geschmackvollen Lebensweise einer Kreolenfamilie ab (s. S. 23).

7 [E4] **Historic New Orleans Collection.** Forschungszentrum mit Bibliothek, Archiv, historischer Abteilung, Shop und historischem Wohnhaus. Es finden verschiedene Dauer- und Wechselausstellungen statt (s. S. 17).

⌐ *Tür an Tür: Ogden* **24** *und Confederate Memorial Hall Museum*

⌐ *Vorseite: Unvergessen in NOLA – Uncle Lionel Batiste*

New Orleans für Kunst- und Museumsfreunde 57

45 House of Dance & Feathers,
1317 Tupelo St., http://houseofdance andfeathers.org, geöffnet auf Anmeldung (Tel. 504 9572678) und bei Touren. Interessantes Museum über die Mardi Gras Indians (s. S. 39) und Ronald W. Lewis, einen der legendären „Chiefs", der zugleich Direktor und Kurator ist.

35 [bj] Longue Vue House and Gardens.
Das Gebäude erinnert an alte englische Landhäuser, ist ringsum von einem prächtigen Garten umgeben und beherbergt eine exzellente Sammlung moderner Kunst (s. S. 45).

46 [D8] Louisiana Children's Museum,
420 Julia St., www.lcm.org, Mo.–Sa. 9.30–16.30, im Sommer bis 17, So. 12–16.30/17 Uhr, $ 11. Interaktive Ausstellungsabteilungen wie „Fetch!", „Mr. Rogers' Neighborhood" oder „New Orleans: Proud To Call It Home – Architecture Exhibit", dazu wechselnde Veranstaltungen, Workshops u. a. Events.

47 Lower Ninth Ward Living Museum,
1235 Deslonde St., Facebook: L9Living Museum, Di.–So. 12–17 Uhr, Eintritt frei. Informationen und Ausstellungen über Fall und Wiederaufstieg des während des Hurricane 2005 gebeutelten Viertels.

› Lower Pontalba Building/1850 House.
Zu besichtigendes Reihenhaus, das zum Gesamtkomplex der den Jackson Sq. rahmenden Pontalba Buildings **4** aus der Mitte des 19. Jh. gehört und den Luxus der einstigen Mietshäuser sowie den Lebensstil der kreolischen Aristokratie widerspiegelt (s. S. 16).

12 [E3] Madame John's Legacy. Bau aus dem späten 18. Jh. in für die Stadt untypischer Bauweise mit einer Art Sockelzone. Wechselausstellungen zur Volkskunst (s. S. 25).

23 [D8] National World War II Museum.
Riesiges Museum zur Geschichte des Zweiten Weltkriegs mit Kino und ausgezeichnetem Restaurant (s. S. 34).

48 [D1] New Orleans African American Museum (NOAAM), 1418 Governor Nicholls St., http://noaam.org. Ausstellungen im afroamerikanischen Viertel Tremé in einem historischen Baukomplex. Zu sehen sind afroamerikanische Kunstwerke aller Genres. Auf unbestimmte Dauer **wegen Renovierung geschlossen.**

49 [E3] New Orleans Historic Voodoo Museum, 724 Dumaine St., www.voo doomuseum.com, tgl. 10–18 Uhr, $ 7. Kurioses kleines Museum zur Voodoo-Religion. Voodoo-Rituale zu bestimmten Terminen, zudem Verkaufsstand.

› New Orleans Jazz Museum, Old U.S. Mint **17**, https://nolajazzmuseum.org, Di.–So. 10–16.30 Uhr, $ 6. Fotos und Erinnerungsstücke zu den Musikgrößen der Stadt, dazu Instrumente und Musikproben (s. S. 28).

33 [ci] New Orleans Museum of Art/ NOMA. 100 Jahre alter Kunsttempel mit sehenswerter Sammlung und angeschlossenem Sculpture Garden (s. S. 43).

New Orleans für Kunst- und Museumsfreunde

Audubon Nature Institute

Das Audubon Nature Institute - benannt nach dem Ornithologen John James Audubon (1785-1851) - unterhält drei sehenswerte Institutionen: ein Aquarium und ein Insectarium im Stadtzentrum sowie einen Zoo in Uptown. Außerdem gehören ein IMAX Theatre, der Audubon Park und ein Golfplatz dazu.

An der Riverfront erhebt sich das architektonisch auffällige, blau verglaste **Aquarium** *(s. S. 56) mit elliptischem Dach. 1990 eröffnet, ist es auf die Unterwasserwelt Nord- und Südamerikas spezialisiert. In riesigen Becken sind ganze Wasserwelten nachgebildet. Glastunnel erlauben „hautnahes" Entdecken von Caribbean Reef, Mississippi, Golf von Mexico oder Amazonas-Regenwald. Angegliedert ist das* **Entergy IMAX Theatre.**

Im U.S. Custom House an der Canal St. ist das **Insectarium** *(s. S. 56) untergebracht. Besonders Familien sollten sich die Ausstellungen zu den unterschiedlichsten Insekten und ihrer Lebenswelt sowie das Schmetterlingshaus nicht entgehen lassen.*

Den südlichen Teil des in Uptown gelegenen Audubon Parks zwischen Magazine St. und Mississippi nimmt der **Audubon Zoo** *(s. S. 56) ein. In dem sehenswerten Tierpark leben rund 1500 Tiere aus mehr als 400 Arten in natürlicher Umgebung. Besonders sehenswert ist der Louisiana Swamp, eine Sumpflandschaft, die das Leben in den Bayous darstellt. Daneben gibt es asiatische, australische, afrikanische und amerikanische Abteilungen.* **Tipp:** *Audubon Experience Package, ca. $40 für alle vier Attraktionen.*

❺ [E4] **New Orleans Pharmacy Museum.** 1823 eröffnete Apotheke mit Sammlung zur Pharmaziegeschichte und zur Gesundheitsversorgung (s. S. 17).

㉔ [C8] **Ogden Museum of Southern Art.** Empfehlenswerte Einführung zur Kunst der Südstaaten, mit Wechselausstellungen und kleinem Dachgarten (s. S. 35).

⓯ [F3] **Old Ursuline Convent.** Das älteste erhaltene Bauwerk der Stadt aus dem Jahr 1745 diente einst als Kloster, Hospital, Waisenhaus und Schule und zeigt heute klerikale Raritäten, Dokumente, Möbel und Buntglasfenster (s. S. 27).

⓱ [G3] **Old U.S. Mint.** Ausstellung rund ums Geld und New Orleans Jazz Museum in der alten Münzprägeanstalt (s. S. 28).

㉞ [di] **Pitot House Museum.** Landhaus aus der Kolonialzeit am historischen Bayou St. John mit zeitgenössischer, allerdings nicht originaler Ausstattung (frühes 19. Jh., s. S. 45).

❸ [E4] **Presbytère.** Einst Sitz der katholischen Kirchenverwaltung, dann Teil des Louisiana State Museum. Im Erdgeschoss Ausstellung „Katrina & Beyond", im Obergeschoss Dauerausstellung „Mardi Gras" (s. S. 15).

🅼**50** [A9] **Southern Food & Beverage Museum (SoFAB),** 1504 Oretha C. Haley Blvd., https://natfab.org/southern-food-and-beverage, Mi.-Mo. 11-17.30 Uhr, $ 10,50. Dauerausstellung zur Küche Louisianas und New Orleans' sowie des ganzen Südens, dazu Wechselausstellungen, Kochkurse und -vorführungen, Restaurant Toups South mit historischer Bar (s. S. 64), Bibliothek, Kindergalerie und kulinarische Touren.

🅼**51** [dm] **The House of Broel,** 2200 St. Charles Ave., www.houseofbroel.com, Touren nach Anmeldung (Tel. 504 4942220), $ 15. Haus von 1850, im viktorianischen Stil möbliert, mit Puppen- und Puppenhaussammlung, Mardi-Gras-Kostümen und Shop.

New Orleans für Kunst- und Museumsfreunde 59

Galerien

Im Warehouse District ist die Julia Street als „Gallery Row" bekannt, ansonsten sind die Royal und auch die Chartres Street bei Antiquitäten- und sonstigen Sammlern beliebt.

- 52 [D4] **Brass Monkey – The Collector,** 407 Royal St. Nette Antiquitäten, erschwinglich und klein genug zum Mitnehmen.
- 53 [F4] **Dutch Alley Artist's Co-op,** 912 N Peters St., www.dutchalleyartists co-op.com, tgl. 10–18 Uhr. Künstler verschiedenster Genres stellen auf dem French-Market-Areal aus.
- 54 [E4] **Gallery Rinard,** 611 Royal St., www.galleryrinard.com. Diese von Matt Rinard im French Quarter betriebene Galerie hat sich vor allem auf humorvolle Bilder mit Hunden und Katzen spezialisiert.
- 55 [E4] **Great Artists' Collective,** 815 Royal St., www.greatartistscollec tive.com. Kunst und Kunsthandwerk verschiedener lokaler Künstler. In der Nachbarschaft weitere Galerien.
- 56 [E4] **Lucullus Inc.,** 610 Chartres St. Kulinarische Antiquitäten, Kochzubehör und Geschirr.
- 57 [D7] **New Orleans Glassworks & Printmaking Studio,** 727 Magazine St. Glasbläser-, Druck- u. a. Werkstätten und Studios im Warehouse District, dazu Shop, Vorführungen und Kurse (http://neworleansglassworks.com).
- 58 [E4] **Rodrigue Studios,** 730 Royal St., https://georgerodrigue.com. Werke des Erfinders des „Blue Dog" aus der „Absolut"-Gin-Werbung.
- 59 [D5] **Vintage 329 Gallery,** 329 Royal St., https://vintage329.com. Memorabilien aus den verschiedensten Bereichen, von Sport und Musik über Waffen bis zu Karten und Literatur.
- 60 [dm] **Zèle NOLA,** 2841 Magazine St., www.zelenola.com. Kunstmarkt, auf dem Werke verschiedener lokaler Künstler und Kunsthandwerker an Ständen angeboten werden.

Open-Air-Kunst am Jackson Square ❶

New Orleans für Genießer

New Orleans ist eine kulinarische Hochburg und stolz auf ihre Creole Cuisine. Louisiana, und speziell das Cajun Country, verfügt jedoch über eine der wenigen wirklich eigenständigen Regionalküchen der USA: die Cajun-Küche. Kennzeichnend für beide Richtungen sind viel Seafood und Fisch (gerne frittiert), daneben Eintöpfe (Gumbo) und Reisgerichte (Jambalaya).

Während man in den 1980er-Jahren noch „Oysters Rockefeller" bei Antoine's oder „Banana Foster" bei Brennan's zelebrierte, zierliche Portionen kreolisch-französischer Küche zu astronomischen Preisen servierte und legendäre Gourmettempel wie Commander's Palace, Galatoire's, Arnaud's, Broussard's, Antoine's lange Wartelisten hatten, zogen die Hungrigen und Sparsamen deftiges *cajun food* – riesige *fried seafood platters*, *catfish* (Wels), *Po-Boys, Gumbo, Jambalaya* und *Etouffé* –, meist mit dicken Einbrennen bzw. Mehlschwitzen *(roux)* als Basis, vor. Bestimmend in New Orleans' kulinarischer Szene sind mehrere Namen, einer davon ist **„Brennan"** (www.neworleans-food.com, www.frenchquarter-dining.com), hinter dem sich mehrere Familienmitglieder verbergen. Wesentliche Triebkräfte beim Publikmachen der regionalen Küche waren **Paul Prudhomme** mit seinen „Magic Seasoning Blends" und der Fernsehkoch **Emeril Lagasse**, der ebenfalls mehrere Lokale betreibt. Sein neuestes heißt „Meril".

In den letzten Jahren gelang jungen, kreativen Köchen die Symbiose der verschiedenen Einflüsse, eine kreative „Weltküche" mit weniger üppigen Ingredienzien und gesünderen Zubereitungsweisen unter Verwendung lokal produzierter Lebensmittel. Neue Topspots mit kreativen, schicken Lokalen sind die Magazine St., v. a. der Central Warehouse District (mit Newcomern wie Gianna, Sofia und Maypop) und zuletzt auch Bywater (Bywater American Bistro, Country Club).

Hinweise zum Essengehen

› **Essenszeiten:** Mittagessen *(lunch)* wird im Allgemeinen zwischen 12 und 14 Uhr, Abendessen *(dinner)* von circa 18 bis 22 Uhr serviert.

› **Reservierung:** Abends und an Wochenenden sollte man in besseren bzw. beliebten Restaurants online oder telefonisch einen Tisch reservieren, ansonsten muss man Wartezeiten in Kauf nehmen.

› Nach dem Prinzip **„wait to be seated"** wird einem am Eingang ein eigener Tisch zugewiesen, die Bedienung *(server/waiter)* stellt sich vor und der *busboy* („Hilfskellner") schenkt Wasser ein.

› Die **Menüzusammensetzung** ist flexibel und Beilagen, Salatdressings und Zubereitungsarten bzw. oft auch Portionsgrößen können meist beliebig ausgewählt werden. Auf den *appetizer* (Vorspeise) folgen das *entrée* (Hauptgericht) und das *dessert* (Nachtisch) oder/und Kaffee. Dann bekommt man unaufgefordert die Rechnung, dazu kommt ein **Trinkgeld** *(tip, gratuity)* von 20 %.

› Einpacken von Essensresten *for to go* ist selbst in einem Feinschmeckerrestaurant üblich.

Gastro- und Nightlife-Areale
Bläulich hervorgehobene Bereiche in den Karten kennzeichnen Gebiete mit einem dichten Angebot an Restaurants, Bars, Klubs, Discos etc.

New Orleans für Genießer

Ausgewählte Restaurants

Sofern bei den Restauranttipps keine Zeiten angegeben sind, wird täglich **Lunch** und **Dinner** serviert.

Klassische Haute Cuisine

Die „Gourmettempel" der Stadt sind meist sehr teuer, sehr edel und sehr formell, bieten aber exquisiten Service und hervorragendes Essen.

🛈**61** [E4] **Antoine's Restaurant** $$$, 713 St. Louis St., Tel. 504 5814422, www.antoines.com. Ältestes Restaurant der Stadt (gegründet 1840), dazu riesig und „museumsartig". Französisch-kreolische Küche. Hier sollen 1899 die „Oysters Rockefeller" erfunden worden sein. So. 11–14 Uhr Jazzbrunch (dann abends geschlossen).

🛈**62** [D5] **Arnaud's Restaurant** $$$, 813 Bienville St., Tel. 504 5235433, www.arnaudsrestaurant.com, tgl. Dinner und So. Jazzbrunch. Mehrteiliges Lokal im French Quarter mit Jazz Bistro, Main Dining Room und French 75 Bar. Seit 1918 in Familienbesitz (erst der Arnauds, dann der Casbarians) ist das Germaine Cazenave Wells Mardi Gras Museum mit Karnevalskostümen, das Teil des Restaurants ist.

🛈**63** [E4] **Brennan's Restaurant** $$$, 417 Royal St., Tel. 504 5259711, www.brennansneworleans.com. Historisches Ambiente in mehreren Gasträumen plus Innenhof. Legendär ist das dreigängige Frühstücksmenü (9–14 Uhr) zum Festpreis, außerdem tgl. Dinner. Zugehörig: Roost Bar (ganztags geöffnet).

🛈**64** [D4] **Broussard's** $$$, 819 Conti St., Tel. 504 5813866, https://broussards.com, tgl. Brunch und Dinner. 1920 von Joseph Broussard gegründet. 300 Plätze, teils im idyllischen Innenhof (auch Livejazz), formell-vornehm, doch Essen und Hausweine sind hervorragend. Mit Empire Bar.

🛈**65** [dm] **Commander's Palace** $$$, 1403 Washington Ave., Tel. 504 8998221, www.commanderspalace.com, Lunch Mo.–Fr., Dinner tgl., Jazzbrunch Sa./So. Brennan-Gourmettempel mit „Kleiderordnung" (keine Jeans, T-Shirts, Shorts). Relativ günstige Mittagsmenüs!

🛈**66** [E4] **Court of Two Sisters** $$$, 613 Royal St., Tel. 504 5227261, www.courtoftwosisters.com, tgl. 9–15 Uhr Jazzbrunch und 17.30–22 Uhr Dinner. Schon der Schriftsteller Mark Twain besuchte den schönen Innenhof, in dem man Speisen vom riesigen Frühstücksbuffet bei Livejazz genießen kann.

🛈**67** [D5] **Galatoire's** $$$, 209 Bourbon St., Tel. 504 5252021, www.galatoires.com, Lunch/Dinner, außer Mo. Seit 1905 von Einheimischen und Prominenten gleichermaßen besucht. Bekannt für Fischgerichte und Meeresfrüchte.

🛈**68** [F4] **Tujague's** $$$, 823 Decatur St., Tel. 504 5258676, https://tujaguesrestaurant.com, Mo.–Fr. Lunch, tgl. Dinner sowie Sa./So. Brunch. 1856 von Guillaume Tujague, einem Metzger auf dem French Market, gegründetes französisches Restaurant. Das zweitälteste der Stadt nach Antoine's. Prominente Gäste wie Roosevelt, Truman oder de Gaulle genossen hier schon Spezialitäten wie Shrimp Remoulade, Beef Brisket oder Chicken Bonne Femme. Gemütliche Atmosphäre und eine einladende Bar.

Preiskategorien

Annäherungswert für ein Hauptgericht (Fleisch oder Fisch) mit Beilagen (manchmal auch Salat), ohne Getränk, Trinkgeld und Mehrwertsteuer. Lunch ist meist preiswerter als Dinner.

$	unter $ 15
$$	$ 15–25
$$$	über $ 25

Kulinarisches New Orleans

Die **Cajun-Küche** steht synonym für „Südlouisiana", für „handfest" und „sättigend", während **Creole** mit „New Orleans" gleichgesetzt wird und als eher „fein" und „französisch angehaucht" gilt. Die Cajuns, Nachkommen vertriebener französischer Hugenotten, lebten in einfachsten Verhältnissen in den Sümpfen Louisianas, arbeiteten hart und aßen deftig. Die Kreolen hingegen stammen von den französischen und spanischen Siedlern Louisianas ab und gehörten eher der begüterten Stadtaristokratie an.

Man behauptet, Cajun-Gerichte wären rustikaler, schärfer und weniger raffiniert als kreolische, die sich vor allem durch subtile Würze und delikate Soßen auszeichnen. Im Grunde genommen basieren beide Küchen auf der französischen und waren von Anfang an durchsetzt von fremdländischen Einflüssen: afrikanischen (Okra, Melonen), indianischen (Filé, Maisbrot) und spanischen (z. B. Jambalaya als Abkömmling der Paella). Außerdem spielten die Karibik (z. B. Bohnengerichte) und Italien (z. B. Muffulettas) eine Rolle.

Gumbo (westafrikanische Bezeichnung für die Okraschote) ist eines der Nationalgerichte Louisianas und wurde angeblich von französischen Siedlern in wehmütiger Erinnerung an die heimische Bouillabaisse kreiert. Es kann mit Huhn, Wurst, Meeresfrüchten wie Shrimps und Langusten oder auch nur mit Gemüse zubereitet werden. Immer dabei sind aber die „Heilige Dreifaltigkeit" (Zwiebeln, Paprika, Sellerie) und der „Papst" (Knoblauch), außerdem Reis und „roux" (eine dunkle Mehlschwitze), eine Einbrenne mit Filé-Pulver (die getrockneten, pulverisierten Blätter des Sassafrasbaums) oder Okra als Dickungsmittel.

Ähnlich, nur von dickerer Konsistenz, sind **Jambalaya**, zu dem der Reis meist gesondert gereicht wird, oder **Etouffée**, das eher ragoutartig und mit dunkler Soße, oft als Crawfish oder Catfish Etouffée, zubereitet wird. **Bisque** gehört zur selben „Familie", ist aber eine klare Brühe mit obigen Einlagen. **Hopping John** schließlich besteht aus Bohnen und Reis und **Dirty Rice** ist einfach nur ein Resteessen: Reis vermischt mit allem, was übriggeblieben ist, scharf gewürzt. Typische Beigaben sind z. B. **Andouille** oder **Boudin,** beides Würste, vorwiegend aus Innereien, letztere auch mit Reis vermischt.

Bei **Po-Boys** („arme Jungen") handelt es sich um unterschiedlich (meist mit Roastbeef oder Shrimps) belegtes Stangenweißbrot, gern in Bratensoße getunkt und mit allerhand Zutaten daherkommend (s. S. 64). Ähnlich sind **Muffulettas,** rundes italienisches Weißbrot, das dick mit Salami, Schinken, Provolone und - wichtig! - Olivensalat belegt ist. Dieses sättigende Sandwich soll angeblich von der Central Grocery (s. S. 66) erfunden worden sein.

Die wahren kulinarischen Perlen der New Orleanser Küche sind aber die heimischen **Fische und Meeresfrüchte:** v. a. Austern („oysters"), Langusten („crawfish"), Krebse („crabs") und Shrimps.

Als klassische Nachspeisen gelten **Bread Pudding** (Armer Ritter) oder **Bananas Foster** (flambierte Bananen).

Neuigkeiten aus der Szene und Restaurantempfehlungen gibt es unter:
› www.neworleansrestaurants.com
› http://nola.eater.com

New Orleans für Genießer

Cajun-Küche

69 [D6] **Bon Ton Cafe** $$, 401 Magazine St., Tel. 504 5243386, www.thebontoncafe.com, Mo.–Fr. Lunch/Dinner. Gute Cajun-Küche, z. B. Crawfish Etouffée, Bisque, Shrimp & Oyster Jambalaya, Crawfish und Soft Shell Crabs.

70 [D9] **Cochon** $-$$, 930 Tchoupitoulas St., Tel. 504 5882123, https://cochonrestaurant.com. Cajun Cooking der Extraklasse und mit deutschen Reminiszenzen, v. a. bekannt für hausgemachte Wurst und Würste, Boudin und Andouille, aber auch für gute Soßen. Daneben: Butcher für den schnellen (Fleisch-)Imbiss, Deli und Weinbar mit ausgezeichneten Sandwiches.

71 [dm] **Joey K's Restaurant** $, 3001 Magazine St., Tel. 504 8910997, https://joeyksrestaurant.com, tgl. außer So. Lunch/Dinner. Hier essen auch die Einheimischen Hausmacherküche – Eintöpfe, Po-Boys, Catfish und frittiertes Seafood – und trinken Bier und Margaritas.

72 [E5] **Kingfish Kitchen & Cocktails** $$, 337 Chartres, https://kingfishneworleans.com. Restaurant und Cocktailbar mit traditionellen Gerichten wie Gumbo oder Boudin, mit Brunch und preiswerten Cocktails wie Sazerac oder Pimm's Cup. Beliebter Treff, v. a. zur Happy Hour (tgl. 14–19 Uhr).

73 [E5] **K-Paul's Louisiana Kitchen** $$$, 416 Chartres St., Tel. 504 5962530, www.kpauls.com, tgl. außer So. Dinner. Alteingesessenes, von Paul Prudhomme gegründetes Lokal. Bekannt für Gumbos und frische Austern, anderes Seafood und Fisch, aber auch gute Salate.

74 [E8] **Mulate's** $$, 201 Julia St., Tel. 504 5221492, https://mulates.com. Das Cajun-Mekka schlechthin: Gumbos, Catfish und andere Deftigkeiten, dazu jeden Abend Musik und Tanz.

75 [E5] **NOLA** $$-$$$, 534 St. Louis St., Tel. 504 5226652, https://emerilsrestaurants.com/nola. Starkoch Emeril Lagasses modern-unkomplizierte Version lokaler Küche, v. a. mittags erschwinglich.

Moderne Louisiana-Küche

76 [D4] **Bayona** $$$, 430 Dauphine St., Tel. 504 5254455, www.bayona.com, Mi.–Sa. Lunch, tgl. außer So. Dinner. Susan Spicer kreiert hier in einem alten kreolischen *townhouse* ausgezeichnete mediterran-inspirierte Küche. Zweiteilige Speisekarte mit „Traditionals" und mit kreativ-modernen Speisen. Exquisite Weine!

77 [B6] **Borgne** $$, 601 Loyola Ave. (im Hyatt Regency), Tel. 504 6133860, www.borgnerestaurant.com, geöffnet: So.–Do. 11–21, Fr./Sa. 11–22 Uhr. „Coastal Louisiana Cuisine", das heißt viel Seafood, modern interpretiert von Chef Brian Landry und mit spanischen Einflüssen. Angenehm unkompliziert und tolle Cocktails (Happy Hour!).

78 [bn] **Clancy's** $$, 6100 Annunciation St., Tel. 504 8951111, www.clancysneworleans.com, Do./Fr. Lunch, Mo.–Sa. Dinner. Hier werden New-Orleans-Klassiker neu interpretiert und in Bistroatmosphäre serviert; relativ preiswert.

Muffulettas sind eine Spezialität der Stadt und z. B. bei der Central Grocery (s. S. 66) erhältlich

Arme Jungen – Po(or)-Boys

Po-Boys sind seit jeher eine preiswerte, sättigende Kost: Eine Art Baguette mit runder Spitze, außen knusprig, innen weich, bevorzugt von John Gendusa oder der Leidenheimer Bakery, wird mit gebratenem oder frittiertem Seafood *(crab, shrimp, oyster)* oder Fleisch (v. a. Roastbeef) gefüllt, auch Alligator, Wurst oder Meatballs sind geeignet. Das Ganze verlangt man „dressed" – mit Salat, Tomate, Essiggurke, Remoulade oder Soße, eventuell auch eingetunkt in Bratensaft.

Stadtnah sind z. B. **Johnny's Po-Boys** (s. S. 66), wo man das Sandwich z. B. mit Alligator-Wurst oder Krebsfleisch bestellt, oder **Mother's** (s. S. 66), dessen Spezialität Rostbeef-Po-Boys mit viel Soße sind.

Parasol's im Upper Garden District ist eher ein „hole-in-the-wall", ein schlichter Imbiss mit Bar. Schärfster Konkurrent dürfte **Guy's** (s. S. 66) sein, das nicht weit entfernte **Mahony's** (s. S. 66) hingegen ist ein etwas „vornehmeres" Lokal mit einer großen Auswahl. Andere schwören auf **Domilise's** – ein Familienbetrieb, der seit 1918 in Uptown Po-Boys serviert.

85 [bn] **Domilise's Po-Boy & Bar**, 5240 Annunciation St.

86 [D5] **Killer Po-Boys (1)**, 219 Dauphin St.

87 [D4] **Killer Po-Boys (2)**, 811 Conti St. Hier sind die Poboys etwas „fancier", z. B. mit Räucherlachs, Chorizo oder als „Dark & Stormy" (Pork-Belly-Sandwich).

88 [dm] **Parasol's**, 2533 Constance St.

› Ein Po-Boy von 6 in. (ca. 15 cm) kostet um die $ 8-12. Gelegenheit zum Testen gibt es beim **Oak Street Po-Boy-Festival** (s. S. 82).

79 [cm] **Gautreau's** $$$, 1728 Soniat St., Tel. 504 8997397, www.gautreausrestaurant.com, Mo.–Sa. 18–22 Uhr. Das Restaurant der hochgeschätzten Chefköchin Sue Zemanick ist bekannt für frisches Seafood, aber auch für Handfestes wie Schweinebauch mit Ananas.

80 [C7] **Herbsaint Bar & Restaurant** $$$, 701 St. Charles Ave., Tel. 504 5244114, https://herbsaint.com, Mo.–Fr. Lunch und Dinner, Sa. nur Dinner. Französisch-amerikanisches Bistro mit Freiplätzen. Bekannt für gute Fleischgerichte und Wurstwaren.

81 [dn] **Lilette Restaurant** $$$, 3637 Magazine St., Tel. 504 8951636, www.liletterestaurant.com, Mo.–Sa. Dinner, Di.–Sa. Lunch. Mediterran angehauchte, leichte Gerichte (Salate, Suppen, Sandwiches), abends fein, kreativ und eher teuer.

82 [cj] **Mandina's** $-$$, 3800 Canal St., Tel. 504 4829179, http://mandinasrestaurant.com. Preiswerte Tagesgerichte, Seafood sowie Italienisches relativ günstig und in unkompliziertem Ambiente.

83 [D5] **Restaurant R'evolution** $$-$$$, 777 Bienville St., Tel. 504 5532277, www.revolutionnola.com, Fr. Lunch, So. Jazz-Brunch, tgl. Dinner. Toplokal im Royal Sonesta Hotel, Cajun- und Creole-Gerichte neu interpretiert.

› **Toups South** $$-$$$, im Southern Food & Beverage Museum (s. S. 58), Tel. 504 3042147, www.toupssouth.com, tgl. Lunch und Dinner, So. auch Brunch. Chef Isaac Toups serviert kreative Südstaatenküche.

84 [cm] **Upperline Restaurant** $$, 1413 Upperline St., Tel. 504 8919822, www.upperline.com, Mi.–So. Dinner. „Taste of New Orleans"-Menü, kreativ zubereitete klassische Gerichte, angenehmes Ambiente mit Kunstwerken und Art-déco-Bar.

› *Garnelen sind eine Spezialität der Region*

New Orleans für Genießer

Fisch- und Meeresfrüchte

⊃89 [D5] **Acme Oyster House** $$,
724 Iberville St., Tel. 504 5225973,
www.acmeoyster.com. Seit 1910 gibt es
hier Meeresfrüchte in allen Variationen.
Preiswert und gut mitten im French Quarter. Po-Boys u. Happy Hour.

⊃90 [cj] **Bevi Seafood Company** $-$$,
236 Carrollton Ave. (Mid-City), http://beviseafoodco.com, Di.–Sa. 11–20,
Mo./So. 11–16 Uhr. Laden und Imbiss mit superfrischen Meeresfrüchten,
vor allem Langusten *(crawfish),* Shrimps, Austern und Krebse, auch als Po-Boys
zu haben.

⊃91 [D5] **Deanie's Seafood** $-$$, 841 Iberville St., www.deanies.com. Preiswertes Seafood und Fisch im French Quarter, günstige Po-Boys und Sandwiches
in großen Portionen. Di.–Fr. 15–18 Uhr
günstiges Early-Bird-Menü!

› **Landry's Seafood** (s. S. 67).

⊃92 [D5] **Red Fish Grill** $$-$$$,
115 Bourbon St., Tel. 504 5981200,
www.redfishgrill.com, tgl. Lunch/Dinner,
mit zugehöriger Oyster Bar. Brennan-Lokal
in sehenswertem Design, schick und dennoch gemütlich bei noch moderaten Preisen, v. a. zum Lunch.

Andere Küchen

⊃93 [E5] **Irene's** $$$, 529 Bienville St., Tel.
504 5298811, https://irenesnola.com,
Dinner tgl. außer So. Kleines, gemütliches Neighborhood-Lokal, in dem es italienisch angehauchte Küche gibt.

⊃94 [G3] **Louisiana Pizza Kitchen** $-$$, 95
French Market Pl., http://pizzakitchenla.
com. Pizza- und Pastagerichte, empfehlenswerte Sandwiches und Salate sowie
gute Auswahl an Appetizern.

⊃95 [F4] **Manolito** $$, 508 Dumaine St.,
www.manolitonola.com, Mo./Di. 17–
23, Mi.–So. 11–23 Uhr. Cuban Bar &
Café im French Quarter, gemütlich mit
gut sortierter Bar, dazu Tortillas u. a. lateinamerikanische Spezialitäten.

⊃96 [B7] **Maypop Restaurant** $$-$$$, 611
O'Keefe Ave., Tel. 504 5185345, www.
maypoprestaurant.com, tgl. Lunch und
Dinner, Sa./So 11–15 Uhr Brunch.
Hippes, industrielles Ambiente im
Warehouse District. Von Michael Gulotta
wird kreative, mit asiatischen Einflüssen
durchmischte Küche serviert. Viel Fisch
und Meeresfrüchte. Besonders lohnend
zur Happy Hour (Mo.–Fr. 16–18 Uhr)!

⊃97 [G2] **Mona's Café & Deli** $, 504
Frenchmen St., tgl. Lunch/Dinner. Nah-

östliche, libanesische und mediterrane Spezialitäten, darunter viele vegetarische Gerichte. Auch zum Einkaufen und Mitnehmen. Unbedingt das Hummus probieren!

98 [E4] **Sylvain** $$, 625 Chartres St., Tel. 504 2658123, www.sylvainnola.com, tgl. Dinner, Fr.–So. auch Brunch. Restaurant in einem alten Kutschenhaus mit Innenhof und Bar. Kreative Weltküche zu erschwinglichen Preisen.

Schnell und gut

99 [F4] **Central Grocery** $-$$, 923 Decatur St. Legendärer italienischer Feinkostladen mit tollen Muffulettas, für die man gerne ansteht. Allerdings nur bis zum frühen Abend geöffnet.

100 [dn] **Dat Dog** $, 3336 Magazine St. Hot Dogs (und Fries) in den ungewöhnlichsten Versionen. Filiale: 601 Frenchmen St.

101 [A1] **Dooky Chase Restaurant** $, 2301 Orleans Ave. Seit 1941 bekannt für das Lunch Buffet mit Fried Chicken, Gumbo und ähnlich handfesten Südstaatengerichten zu günstigen Preisen, in Tremé.

102 [bn] **Guy's Po-boys** $, 5259 Magazine St. Winziger Schuppen, in dem v. a. Seafood und empfehlenswerte Po-boys (s. S. 64) zubereitet werden.

103 [E5] **Johnny's Po-boys** $, 511 St. Louis Street, tgl. 8–16.30 Uhr. Nicht nur Po-boys (s. S. 64) zum Sattessen, auch Daily Specials und Frühstück, alles günstig und in Selbstbedienung.

104 [dn] **Mahony's Po-Boys & Seafood** $, 3454 Magazine St., Mo.–Sa. 11–21 Uhr. Gutes Po-boy-Lokal in einem kleinen Wohnhaus mit einigen Tischen im Freien.

105 [D7] **Mother's** $-$$, 401 Poydras St., tgl. 7–22 Uhr. 1938 gegründet und eher rustikal im Caféteria-Stil. Bekannt für Südstaaten-Hausmacherkost in großen Portionen zu günstigen Preisen. Die Amatos bewirteten schon „Ronnie" Reagan und Al Gore mit Po-Boys oder „Ferdi Special" (Schinken und Roastbeef) und servieren „the world's best baked ham". Außerdem gibt es Bread Pudding, Gumbo und Jambalaya.

Cafés und Eisläden

Eine Besonderheit von New Orleans sind die Cafés, wobei PJ's die meisten Filialen aufweisen. Seit dem 19. Jh. einer der Haupt-Kaffeehäfen, wird der Kaffeegenuss in New Orleans auch heute noch großgeschrieben. Bekannt und beliebt ist v. a. mit Zichorie (Wegwarte) versetzter Kaffee. Erfrischend sind die **Sno-Balls**, eine NOLA-Spezialität: zerstoßenes Eis mit Sirup, oft von kleinen Eiswagen verkauft.

> **EXTRATIPP**
>
> **Kulinarische Festivals**
> Während der Aktion **COOLinary New Orleans** im August bieten viele Restaurants täglich mittags oder auch abends ein Dreigängemenü zum günstigen Preis an (www.coolinaryneworleans.com). Im September finden das **Louisiana Seafood Festival** (http://louisianaseafoodfestival.com) und **Boudin, Bourbon & Beer** (https://boudinbourbonandbeer.com/boudin-bourbon-beer) auf der Plaza vor dem Superdome statt, im Oktober das **Crescent City Blues & BBQ** im Lafayette Square Park (www.jazzandheritage.org/blues-fest) und, etwas später, das **Oak Street Po-Boy Festival** (www.poboyfest.com). Mitte November laden das **Tremé Creole Gumbo Festival** (www.jazzandheritage.org/treme-gumbo) zum Verkosten des legendären Eintopfes und die **Fête des Fromages** (www.fetedesfromages.com) zum Käse-Test ein.

New Orleans für Genießer

EXTRATIPPS

Dinner for one
> Das **Borgne** (s. S. 63) ist auch allein, v. a. an der Bar, ein Vergnügen.

106 [dm] **Coquette** $^{\$\$\$}$, 2800 Magazine St., Tel. 504 2650421, www.coquettenola.com, tgl. Dinner, Fr. Lunch, Sa./So. Brunch. Gehobene Südstaatenküche mit regionalen Ingredienzien.

> Im **Herbsaint** (s. S. 64) kann man gut allein an der Bar sitzen.

Für den späten Hunger
> Im **Café Du Monde** (s. S. 68) gibt es 24 Std. frische Beignets und Kaffee.

107 [E3] **Clover Grill**, 900 Bourbon St. Täglich rund um die Uhr geöffneter, legendärer Imbiss (Burger) und Gay-Treff.

108 [E6] **Harrah's New Orleans Casino**, 8 Canal St. Größtes Casino im Umkreis, Veranstaltungsbühne und bis mind. 22 Uhr preiswertes Buffet im „The Buffet at Harrah's", www.harrahsneworleans.com.

109 [D5] **Krystal**, 116 Bourbon St., Fast Food wie Burger rund um die Uhr.

110 [B9] **St. Charles Tavern**, 1433 St. Charles Ave. Ebenfalls 24 Stunden geöffnetes Restaurant aus dem Jahr 1917 und mit eigener Bar. Außer Snacks gibt es auch ganze Gerichte und Specials; dazu finden Veranstaltungen statt (u. a. jeden Mi. ab 22 Uhr Jazz).

111 [em] **Trolley Stop Cafe**, 1923 St. Charles Ave., tgl. außer Do. bis 2 oder 3 Uhr geöffnet

Vegetarische Restaurants
112 [al] **Breads on Oak** $^{\$-\$\$}$, 8640 Oak St., tgl. 7–15 Uhr. Frisch gebackenes Brot sowie Gebäck, Suppen, Sandwiches und viel Vegetarisches.

113 [D5] **Green Goddess** $^{\$\$}$, 307 Exchange Pl., Mi.–So 11–21 Uhr. Kreative eklektische Küche, überwiegend vegetarisch und vegan.

114 [bn] **Max Well** $^{\$-\$\$}$, 6101 Magazine St., www.maxwellneworleans.com. Vegane Küche in einem schicken, kleinen Lokal nahe Audubon Park. Viel Rohkost, Bowls und Salate.

115 [gj] **Satsuma Café** $^{\$}$, 3218 Dauphine St., tgl. 7–17 Uhr. Eher Coffeeshop als Restaurant mit wild zusammengewürfeltem Mobiliar. Frühstück, Salate, Sandwiches und frischgepresste Säfte, alles aus lokalen, saisonalen Produkten.

116 [C10] **Seed** $^{\$\$}$, 1330 Prytania St. Gesunde Bio-Zutaten, vegetarisch und vegan. Bekannt für Brotaufstriche, Backwaren, Salate und Tofu-Gerichte.

117 [C10] **Surrey's Cafe & Juice Bar** $^{\$}$, 1418 Magazine St., tgl. 8–15 Uhr. Ursprung war eine Saftbar, heute ist man bekannt für eine riesige Frühstückskarte, dazu günstige *lunch combos* (halbes Sandwich und Suppe) sowie viele Salate.

Lokale mit Ausblick
> **Café Du Monde** (s. S. 68). Gut, um Leute zu beobachten.

> **Carousel Bar** (s. S. 69). Im Hotel Monteleone befindliche rotierende Bar mit Ausblick.

118 Landry's Seafood $^{\$\$\$}$, 8000 Lakeshore Dr., Tel. 504 2831010, www.landrysseafood.com, Mo.–Fr. Lunch, tgl. Dinner. Seafood und Fisch in allen erdenklichen Variationen. Happy Hour mit günstigen Cocktails und Häppchen an der Bar. Schöne Lage am See, v. a. bei Sonnenuntergang!

119 [ci] **Ralph's on the Park** $^{\$\$\$}$, 900 City Park Ave., Tel. 504 4881000, www.ralphsonthepark.com, tgl. Dinner, Di.–Fr. Lunch, So. Brunch. Taverne aus den 1860er-Jahren am Südrand des City Park mit Blick auf immergrüne Eichen. Lokale New-Orleans-Küche mit frischen Ingredienzien kreativ zubereitet.

New Orleans am Abend

Musik und Nachtleben sind in New Orleans untrennbar miteinander verbunden und an allen Ecken, zu jeder Jahreszeit und für jeden Geschmack wird etwas geboten. Nicht ohne Grund nennt man die Stadt „The World's Most Serious Party Town".

Musik und **Cocktails** – legendär sind hier Sazerac, Hurricane, Pimm's Cup, Absinthe Frappé oder Mint Julep – gehören in New Orleans zum Alltag. Schon tagsüber und v. a. an Wochenenden gibt es auf der Freilichtbühne an der Riverfront, am French Market bzw. um das Café Du Monde, am Jackson Square oder auf der Bourbon Street Musik zu hören. Neben Jazz und Blues ist es besonders Cajun und Zydeco Music, aber auch alle anderen Richtungen sind in den diversen Kneipen der Stadt vertreten. Discos und schicke *nightclubs* sind eher selten, Bars und Kneipen, meist mit kleinen Bühnen, hingegen verbreitet.

Das **Nachtleben** konzentriert sich zum einen auf das French Quarter (s. S. 13), zum anderen auf Zonen wie das Faubourg Marigny mit der Frenchmen Street [G2]. Einige Hotspots befinden sich auch im Warehouse District ❷❷ oder in Uptown. Livejazz wird in den Bars und Lounges der großen Hotels geboten und altehrwürdige Lokale laden zum Jazzbrunch ein, zum Beispiel Court of Two Sisters (s. S. 61), Commander's Palace (s. S. 61) oder Arnaud's (s. S. 61).

○ **120** [cj] **Angelo Brocato's Italian Ice Cream & Pastry**, 214 N. Carrollton Ave., in Mid-City, nahe Bevi Seafood (s. S. 65) und ideal, um Gebäck oder Eiscreme zu genießen.

○ **121** [D5] **Café Beignet**, 334-B Royal St., tgl. 7–22 Uhr. Kleines Café mit Tischen im Freien, nett zum Frühstücken, auch Sandwiches u. a. zum Lunch. Im Music Legend Park (311 Bourbon St.) nur im Freien mit Selbstbedienung und Livemusik (8–24 Uhr).

○ **122** [F4] **Café Du Monde**, 800 Decatur St. (French Market). 24 Std. täglich Café au lait und Beignets für knapp $ 6, immer voll, frisch, auch zum Mitnehmen. Filiale im Riverwalk (s. S. 77).

○ **123** [D5] **French Truck Coffee**, 217 Chartres St., https://frenchtruckcoffee.com. Kleine Café-Kette, bei der es frisch gerösteten Kaffee und Backwaren gibt. Filialen s. Website.

○ **124** [D7] **Revelator Coffee**, 637 Tchoupitoulas St. Schicker und angesagter Coffeeshop mit selbst geröstetem Kaffee. Ideal für Frühstück und Lunch, auch frisches Gebäck.

○ **125** [cn] **SnoWizard SnoBall Shoppe**, 4001 Magazine St. Seit 1936 gibt es hier die erfrischende Eisspezialität in über 150 Geschmacksrichtungen!

◪ Hier gibt es rund um die Uhr Beignets und Zichorienkaffee: das Café Du Monde

Nightlife

Pubs und Bars

- **126** [al] **Bruno's Tavern,** 7538 Maple St. Alteingesessener Pub in Uptown mit *fries, wings* und *burgers* sowie Salaten und guter Bierauswahl. Dazu TV-Sportübertragungen und Billiard.
- › **Carousel Bar.** Rotierende Bar im Stil der 1950er-Jahre im Monteleone Hotel (s. S. 126), unsterblich durch Ernest Hemingway. Bekannt für Pianomusik am Abend und Cocktails wie Sazerac.
- › **Hermes Bar at Antoine's** (s. S. 61). Viele Drinks und dazu Popcorn.
- **127** [E4] **Longway,** 719 Toulouse St., www.longwaytavern.com, Mo.–Do. ab 16 Uhr, Fr.–So. Lunch und Dinner. Eatery mit Cocktail-Menü (Happy Hour tgl. 16–19 Uhr). Kleine, bodenständige, kreativ interpretierte Gerichte zu Cocktails in netter Atmosphäre.
- **128** [F3] **Molly's at the Market,** 1107 Decatur St. Hangout im French Quarter, ab 10 Uhr morgens geöffnet.
- › **Sazerac Bar,** im Roosevelt Hotel (s. S. 124). Lounge, in der Sazeracs und Pimms Cups in Art-déco-Ambiente serviert werden. Alternativ (daneben): Fountain Lounge.
- **129** [dn] **The Bulldog,** 3236 Magazine St., Mo.–Do. ab 11.30 bzw. Fr.–So. ab 11 Uhr. 50 Biere vom Fass und über 100 in Flaschen. Großer „Biergarten" und Speiseangebot, z. B. Burger, Sandwiches und Bier-Snacks.
- **130** [D4] **Three-Legged Dog,** 400 Burgundy St., tgl. 24 Std. geöffnet. Günstige Drinks (viele Importbiere) und „Hot Wings", dazu Sportübertragungen. Für das French Quarter angenehm gemütlich.
- **131** [D9] **Ugly Dog Saloon,** 401 Andrew Higgins Dr. (CBD), tgl. 11–2 Uhr. Bekannt für Grillgerichte/BBQ zu moderaten Preisen, große Bar und TV-Sportübertragungen.

Livemusik

Einige Klubs erheben ein Eintrittsgeld (meist max. $ 10), andere lassen Gäste gratis ein, verlangen aber den Konsum von mindestens einem Getränk.

Breweries

EXTRATIPP
Die Brewery-Szene in New Orleans entwickelt sich rasant. Abgesehen von „Veteranen" wie dem Crescent City Brewhouse und der NOLA Brewing Company ist v. a. die Brieux Carre Brewery in zentraler Lage ein heißer Tipp.

- **132** [G2] **Brieux Carre Brewery,** 2115 Decatur St., www.brieuxcarre.com, tgl. 11–22 Uhr. Bisher nur Bar und „Biergarten", kein Essen, dafür aber exzellente Biere.
- **133** [E5] **Crescent City Brewhouse,** 527 Decatur St. Erster Brew Pub in Louisiana und bekannt für Pilsner, Red Stallion (Märzen), Black Forest (Dunkles) und Hefeweißbier. Innenhof, gute lokale Küche und am Abend Modern Jazz.
- **134** [dn] **NOLA Brewing Company,** 3001 Tchoupitoulas St., www.nolabrewing.com. Kleinbrauerei mit Pub (tgl. 11–23 Uhr), zudem Touren (freitag- bis sonntagnachmittags) und Veranstaltungen.

Weitere Newcomer in der Szene sind:

- **135** [D10] **The Courtyard Brewery,** 1020 Erato St., www.courtyardbrewing.com. Die kleinste unter den hier erwähnten Breweries, tolle Biere und Food Truck zur Essensversorgung.
- **136** [em] **Urban South Brewery,** 1645 Tchoupitoulas St., http://urbansouthbrewery.com, mit Taproom, Essen und Touren (Fr.–So.).

New Orleans am Abend

Beliebte Partylocations: Balkone

🔴 **137** [G2] **Bamboula's & The Frenchmen Theatre**, 514–516 Frenchmen St., Tel. 504 9448461, www.clubbamboulas.com. Täglich mehrere Sets auf der Bühne (Jazz), dazu gutes Essen aus Bamboula's Kitchen.

🔴 **138** [G2] **Blue Nile Nightclub**, 532 Frenchmen St., Tel. 504 9482583, http://bluenilelive.com. Cooler Musikklub in historischem Gebäude von 1832, tgl. Livemusik (mehrere Sets am Abend) von Latin über Reggae und Rock zu Modern Jazz, gelegentliche Auftritte von Kermit Ruffins. Gute Auswahl an Drinks an der Bar im OG. Alternativ gibt es daneben (Nummer 536) **Three Muses** mit Essen, Trinken und Musik.

🔴 **139** [G2] **d.b.a.**, 618 Frenchmen St., Tel. 504 9423731, www.dbaneworleans.com. Hippe/r Bar/Klub für die Schönen und Reichen in einem historischen Bau. Gute Bierauswahl und täglich Livemusik auch bekannter Künstler wie Clarence „Gatemouth" Brown, Jimmy Buffet oder Stevie Wonder.

🔴 **140** [E4] **Funky Pirate**, 727 Bourbon St., http://thefunkypirate.com, Tel. 504 5231960. Klassischer French-Quarter-Bluesklub, tgl. (meist 20.30 Uhr) Sets, u. a. mit Auftritten von Big Al Carson & The Blues Masters.

🔴 **141** [G1] **Hi-Ho Lounge**, 2239 St Claude Ave., https://hiholounge.net. Alteingesessener Veranstaltungsort im Faubourg Marigny, bekannt für Underground Alternative Music, Indie Rock, Hip-Hop, Electronic, Jazz, Funk, aber auch Comedy, Burlesque, Kunst oder Filme. Jeden Abend Live Event, Bar/Küche tgl. ab 17 Uhr.

🔴 **142** [E5] **House of Blues**, 225 Decatur St., www.houseofblues.com/neworleans, Tel. 504 3104999. 1994 von Isaac Tigrett mit Dan Aykroyd eröffnete Konzerthalle mit 1000 Plätzen, Restaurantbetrieb (auch im Innenhof), So. Gospelbrunch und tgl. wechselnde Konzerte.

🔴 **143** [E8] **Howlin' Wolf**, 907 S Peters St., Tel. 504 5295844, www.thehowlinwolf.com. Bekannt für Auftritte hochklassiger Rockbands, gelegentlich auch Blues und Jazz. Superstars wie Jackson Brown und Jimmy Page traten hier schon auf.

🔴 **144** [B6] **Little Gem Saloon**, 445 S Rampart St., Tel. 504 2674863, https://littlegemsaloon.com. Di.–Sa. Livemusik, v. a. Jazz, bei freiem Eintritt, So. Jazzbrunch. Zugehöriges, gutes Restaurant (kreolische Küche).

🔴 **145** [G2] **Maison**, 508 Frenchmen St., Tel. 504 3715543, www.maisonfrenchmen.com. Bar, Lokal und Livemusik tgl. gratis auf drei Bühnen, v. a. Jazz und Funk.

🔴 **146** [a1] **Maple Leaf Bar**, 8316 Oak St., www.mapleleafbar.com, Tel. 504 8669359. Tgl. Shows meist ab 22 Uhr. Altehrwürdiger Musikklub, in dem Blues,

▷ *Die Bourbon Street* ❽ *bei Nacht – hier ist immer etwas los!*

New Orleans am Abend

Funk, Rock, Zydeco und Jazz dargeboten werden und Brass Bands wie die Rebirth Brass Band, Papa Grows Funk oder Clarence „Gatemouth" Brown auftreten.

- 147 [bk] **Rock 'n' Bowl**, 3016 S Carrollton/Earhart St., www.rocknbowl.com, Tel. 504 8611700, Eintritt: meist $ 12, Di.–Sa. Livemusik. Bowling- und Top-Zydeco-Spot, dazu Swing und Auftritte lokaler Musiker wie die Rebirth Brass Band oder die Mamou Playboys.
- 148 [G2] **Snug Harbor**, 626 Frenchmen St., https://snugjazz.com, Tel. 504 9490696. Einer der besten Jazzklubs der Stadt, jeden Abend 20/22 Uhr Liveauftritte z. B. von einem der Ellis-Marsalis-Brüder (meist Sa.). Tischservice und Bar, gute Burger und Steaks.
- 149 [G2] **The Spotted Cat**, 623 Frenchmen St., www.spottedcatmusicclub.com, Tel. 504 9433887. *Funky music,* jeden Abend durchgehend Livemusik von Blues und Jazz bis Latino und Klezmer. Beliebter Hangout mit preiswerten Drinks. Hausband des Klubs sind die New Orleans Cottonmouth Kings (immer Fr. 22 Uhr).
- 150 [cn] **Tipitina's**, 501 Napoleon Ave./Tchoupitoulas St., Tel. 504 8958477, www.tipitinas.com. Musikklub, der einst Heimat von Professor Longhair war, lokale Künstler wie Harry Connick Jr., Ne-

Smoker's Guide

In New Orleans sind seit 2007 alle **Restaurants** *genau wie* **öffentliche Gebäude und Plätze** *sowie* **Verkehrsmittel rauchfrei.** *Seit Januar 2015 ist Rauchen auch in Bars und Klubs verboten (mit Ausnahme von Patios, Innenhöfen, Balkonen usw.). Geraucht werden darf noch in Tabakläden, z. B.:*

- 151 *[D5]* **Cigar Factory New Orleans,** *206 Bourbon St. (Filiale: 415 Decatur St.). Große Zigarrenauswahl aus dem Humidor, auch vor Ort gerollt (https://cigarfactoryneworleans.com). Probieren möglich und Sitzplätze.*
- 152 *[E4]* **Crescent City Cigar Shop,** *730 Orleans Ave. Gute Auswahl an Tabakprodukten und Accessoires sowie Sitzgelegenheiten.*
- › **French 75 Bar,** *in Arnaud's Restaurant (s. S. 61). Cigar Lounge und Drinks.*
- 153 *[E4]* **N'Awlins Cigar & Coffee,** *635 St. Ann St. Große Auswahl an Rauchwaren, dazu Kaffeeausschank.*

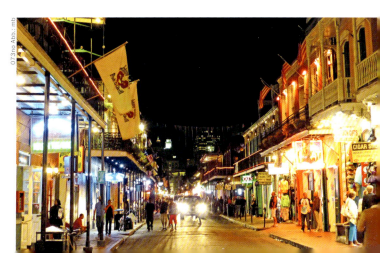

New Orleans am Abend

EXTRATIPPS

New Orleans Musical Legends Park
Hier gibt es nicht nur das Café Beignet (Selbstbedienung, s. S. 68), sondern von morgens bis abends Gratiskonzerte, u. a. von Steamboat Willie's Jazz Band.
⊙160 [D5] **New Orleans Musical Legends Park,** 311 Bourbon St., http://neworleansmusicallegends.com, Tel. 504 8887608, So.–Do. 8–22, Fr./Sa. 8–24 Uhr, tgl. ab 10 Uhr Livemusik mit Café Beignet

Preservation Hall
⊙161 [E4] **Preservation Hall,** 726 St. Peter, Tel. 504 5222841, www.preservationhall.com, Einlass stündl. 17–22 Uhr, $ 15–20. Ein Klassiker: Man steht Schlange, um in die Location mit wohnzimmerartigem Ambiente eingelassen zu werden und klassischen Livejazz zu hören. Vorwiegend Stehplätze und unklimatisiert, keine Bewirtschaftung (aber Souvenirs).

ville Brothers, Jimmy Buffet oder Allen Toussaint begannen hier ihre Karriere. Tgl. Livemusik (R&B, Jazz, Cajun, Zydeco, R&R) und Restaurantbetrieb.

Nachtklubs und Discos
⊙154 [E9] **Metropolitan Nightclub,** 310 Andrew Higgins Dr, www.themetronola.com. Dieses Lagerhaus im Warehouse District wird Sa. zum schicken Danceclub mit zwei Sälen. Verschiedene Musikrichtungen.
⊙155 [E4] **Republic,** 828 S Peters St., Tel. 504 5288282, www.republicnola.com. Ehemaliger Rockklub, der zum eleganten Kabarett-Musikklub im Warehouse District mutierte. Kerzenlicht und Kronleuchter, Cocktails und eklektisches Publikum.

Theater und Konzerte

Großveranstaltungen finden v. a. im Convention Center, in der UNO Lakefront Arena (z. B. Jazz & Heritage Festival), der New Orleans Arena und im Superdome statt. Auch Tipitina's (s. S. 71), das House of Blues (s. S. 70) oder das Casino Harrah's (s. S. 67) verfügen über große Veranstaltungsräume.

Nach Hurricaneschäden wurden 2013 das historische **Saenger Theatre** von 1927 (143 N Rampart St., 2700 Plätze) und 2015 das **Orpheum Theater** von 1921 wiedereröffnet. Die Zukunft des **State Palace Theatre** (1108 Canal St.) von 1926 ist ungewiss. Zumindest soll jedoch die denkmalgeschützte Fassade erhalten bleiben.

Veranstaltungsorte
●156 [D8] **Contemporary Arts Center (CAC),** 900 Camp St., http://cacno.org, Tel. 504 5283800. Zwei Bühnen, Saal, Ausstellungen, Lesungen, Café und Bookstore, seit 1976 im New Orleans Warehouse District nahe Lee Circle.
●157 [E9] **Ernest N. Morial Convention Center,** 900 Convention Center Blvd., www.mccno.com. Ständig vergrößerter Messe- und Ausstellungskomplex mit New Orleans Theater (4.000 Plätze). Konzerte u. a. Events.
●158 **Lakefront Arena,** 6801 Franklin Ave., Tel. 504 2807222, www.arena.uno.edu. Z. B. finden hier das Jazz & Heritage Festival (s. S. 81) und Spiele des Basketballteams der Uni New Orleans (https://unoprivateers.com) statt.
●159 [A9] **New Orleans Jazz Market,** 1436 Oretha Castle Haley Blvd., http://thenojo.com. 2015 in einer ehemaligen Markthalle in Faubourg Lafayette eröffnet. Heimat des New Orleans Jazz Orchestra, mit Archiv und Konzerthalle sowie Café.

New Orleans am Abend

- **162** [fk] **NOCCA (New Orleans Center for Creative Arts)**, 2800 Chartres St., Faubourg Marigny/Bywater, Tel. 504 9402787 www.nocca.com. Klassik, Jazz, Chöre u. a.
- **163** [A7] **Smoothie King Center,** 1501 Dave Dixon Dr., www.smoothiekingcenter.com, Tel. 504 5873822. Heimat der Profibasketballer New Orleans Pelicans, außerdem Shows, Konzerte und andere Veranstaltungen.
- **27** [A6] **Superdome.** U. a. sind hier das Essence Music Festival und regelmäßig Footballspiele der New Orleans Saints zu erleben.
- ❭ **The Fillmore at Harrah's New Orleans,** www.fillmorenola.com. Im Februar 2019 eröffnete Livemusikbühne und Klub mit 2200 Plätzen im Obergeschoss des Casinos Harrah's (s. S. 67), dazu zwei Lounges und Bars.

Theater

- **164** [B1] **Historic Carver Theater,** 2101 Orleans Ave., Tel 504 3040460, http://carvertheater.org. 1950 erbautes Theater in Tremé. V. a. Jazz-/Blues-/Brass-Band-Konzerte zum günstigen Eintrittspreis, außerdem „Cocktails at the Carver".
- **165** [C4] **Joy Theater,** 1200 Canal St., Tel. 504 5289569, www.thejoytheater.com. 1947 als Kino entstanden, 2012 wiedereröffnet, heute diverse Shows und Events.
- **166** [E4] **Le Petit Theatre,** 616 St. Peter St., Tel. 504 5222081, www.lepetittheatre.com. Musicals, Schauspiele und Komödien in kleinem Rahmen.
- **167** [D2] **Mahalia Jackson Theater of the Performing Arts,** 1419 Basin St., www.mahaliajacksontheater.com, Tel. 504 2870350. Veranstaltungen im Armstrong Park: Konzerte, Symphonie- und Broadwayproduktionen im Rahmen von „Broadway in New Orleans" (https://neworleans.broadway.com).

- **168** [C5] **Orpheum Theater,** 129 Roosevelt Way, http://orpheumnola.com, Tel. 504 2744871. Wiedereröffnetes, allein schon wegen der Architektur sehenswertes historisches Theater.
- **169** [C4] **Saenger Theatre,** 1111 Canal St., www.saengernola.com, Tel. 504 5251052. Legendäre Bühne der Stadt, auf der auch berühmte Stars auftreten.
- **170** [bl] **Southern Rep Theatre,** 2541 Bayou Rd., Tel. 504 5226545, www.southernrep.com. Theatergruppe, die für die Weltpremieren von Stücken bekannt ist, die dann später auf dem New Yorker Broadway oder Off-Broadway gespielt werden. Spielort in NOLA ist eine alte katholische Kirche.

Kinos

- **171** [E6] **Cinebarre Canal Place 9 Movie Theatre,** 333 Canal St., www.regmovies.com/theatres/regal-cinebarre-canal-place. Fünf Kinos in einem Komplex mit modernster Digitaltechnik und Ausstattung. Essen wird am Platz serviert. Auch unabhängige und ausländische Filme.
- ❭ **Open-air-Kino** gibt es im Sommer z. B. im Audubon Zoo (ZOOvie, s. S. 56) von Ende Juni bis Mitte August (http://audu

△ *Das Orpheum Theater ist ein architektonisches Juwel*

bonnatureinstitute.org/zoovie) oder bei „Movies in the Park" (New Orleans City Park, http://neworleanscitypark.com/in-the-park/special-events).

🎬 **172** [bm] **Prytania Theatre**, 5339 Prytania St., www.theprytania.com, Tel. 504 8912787. Ältestes Kino in New Orleans aus dem Jahr 1915 mit kleiner Ausstellung in der Lobby.

EXTRATIPPS

Gratisveranstaltungen

Das **New Orleans Jazz National Historical Park Visitor Center** bietet Fotoausstellungen, v. a. aber Gratisveranstaltungen der Park Ranger: Konzerte, Vorträge, Filme etc. (www.nps.gov/jazz, Menüpunkt: „Plan your Visit", „Calendar"). Dazu gibt es einen Shop mit Büchern und CDs.

● **173** [F4] **New Orleans Jazz National Historical Park Visitor Center**, 916 N Peters St., Di.–Sa. 9–17 Uhr

Im **French Market Performance Pavillon** am Latrobe Park (Decatur St.) mit Open-Air-Café bzw. auf der **Open-Air-Bühne am Washington Artillery Park** gegenüber dem Jackson Square finden ebenfalls Gratisveranstaltungen statt. Kostenlose Konzerte gibt es von Mitte März bis Anfang Mai im Rahmen von **Wednesday @ the Square** (Lafayette Sq., Mi. 17–20 Uhr, https://ylcnola.org/ylc-wednesday-at-the-square) und in der Old Mint ⓱.

Tickets

› www.ticketmaster.com, Ticketmaster, z. B. im Smoothie King Center (1660 Girod St.) oder im Saenger Theatre (s. S. 73, Tel. 1 800 7453000)
› www.webtickets.com
› www.ticketbroker.com

New Orleans für Shoppingfans

New Orleans hat einkaufstechnisch von großen Einkaufszentren und Bekleidungsgeschäften und kleinen, ausgefallenen Boutiquen mit Accessoires, Schmuck oder Schnickschnack über Shops und Galerien mit Antiquitäten, Bildern oder Buchraritäten bis hin zu Märkten und Läden mit kulinarischen Spezialitäten und Souvenirs aller Art von allem etwas zu bieten.

Einkaufsregionen

Für Shoppingfans ist das gesamte **French Quarter** (www.frenchquarter.com) lohnend, v. a. die Areale um Jackson Square ❶, French Market ⓮ und Riverfront ⓴ (Shoppingcenter Jax und Riverwalk) bzw. Royal, Bourbon, Chartres [D5–F3] und Decatur Street [F4]. An der **Royal Street** ⓭ reihen sich v. a. teure Antiquitäten- und Schmuckläden, Galerien und Antiquariate auf, die meisten davon lange in Familienbesitz. Die **Decatur Street** gibt sich teils „trendy and bohemian" mit ausgefallener Kleidung und Accessoires, teils kitschig mit Souvenirs und T-Shirts (besonders um den Jackson Sq.). Angebotsmäßig zwischen den beiden vorher genannten liegt die **Chartres Street**: Schmuckgeschäfte, Boutiquen, Kunstgalerien und auch ungewöhnliche Shops sind hier zu finden. Die **Bourbon Street** ❽ gilt als Touristenmeile mit Souvenirshops und Bars.

Der **French Market** (Decatur–N Peters St., www.frenchmarket.org) bietet Souvenirs, aber auch Spezialitäten wie

▷ *Ausgefallene Boutiquen an der Magazine Street* ㉙

New Orleans für Shoppingfans

Soßen, Gewürze oder Süßigkeiten und einen Wochenmarkt (Mi./Sa.).

Im **Central Business District**, v. a. entlang der Canal Street ㉑, befinden sich größere Einkaufszentren wie die Outlet Collection at Riverwalk und Kaufhäuser, aber auch „Ramschläden". Ausgefallenes und Künstlerisches gibt es dagegen im **Warehouse District** ㉒, besonders um die Kreuzung Magazine/Julia St. Die **Magazine St.** ㉙ setzt sich weiter in Richtung Garden District und Uptown fort. Noch im Lower Garden District liegt die **Historic Magazine Row** (1800er–2100er-Blocks), im weiteren Verlauf sind besonders die Blocks zwischen etwa Nr. 3000 und 3800 sowie um Whole Foods (Nr. 5400–6100) zum Shopping interessant. Hier finden sich speziell schräge Läden, kleine Cafés und Lokale (die Shoppingtour ist auch etappenweise mit Bus Nr. 11 absolvierbar, www.magazinestreet.com).

Aktuelle Shoppingtipps finden sich unter www.racked.com/maps/shopping-in-new-orleans-la.

Einkaufszentren

In New Orleans dominieren kleinere, oft spezialisierte Läden, die – erst recht, wenn sie nicht touristisch orientiert sind – erst gegen 10 oder 11 öffnen und um 17 oder 18 Uhr schließen.

174 [E6] **Canal Place**, 333 Canal St., www.canalplacestyle.com. 35 Shops, v. a. Mode (z. B. Brooks Brothers, Banana Republic, Tiffany oder das Kaufhaus Saks Fifth Ave.).

Shoppingareale
Die wichtigsten Shoppingbereiche der Stadt sind im Kartenmaterial mit einer rötlichen Fläche markiert.

⓲ [F4] **French Market.** Verschiedene Hallen über fünf Blocks von Jackson Sq. bis Barracks St. mit Wochenmarkt, Kunsthandwerksständen, Souvenirs, Essen und Trinken sowie Veranstaltungen.

175 [F4] **Shops at Jax Brewery**, 600–520 Decatur/St. Peter St. Diese Brauerei aus der Jahrhundertwende beherbergt einige Shops und einen Food Court (verschiedene Imbissstände mit gemeinsamem Sitzbereich) mit Blick auf den Fluss.

176 [dm] **The Rink**, 2727 Prytania St./Washington Ave. (gegenüber Lafayette Cemetery 1). Kleines Einkaufszentrum in historischem Bau von 1884 (Eisbahn), u. a. mit Still Perkin' Coffee Shop und Garden District Bookshop.

Bekleidung, Mode, Accessoires

177 [bn] **Azby's**, 5531 Magazine St. Damenbekleidung, Accessoires, Schuhe.

178 [cn] **Buffalo Exchange**, 4119 Magazine St. Neue und gebrauchte Kleidung.

179 [cn] **Feet First**, 4122 Magazine St. Ausgefallene Damenschuhe, Accessoires und Handtaschen.

180 [E4] **Hemline**, 609 Chartres St. Schuhe, Kleidung und Accessoires für Modemutige. Filiale: 3310 Magazine St.

New Orleans für Shoppingfans

- **181** [D5] **Meyer The Hatter**, 120 St. Charles Ave., https://meyerthehatter.com. Alteingesessener Hutladen mit einzigartiger Auswahl.
- **182** [cn] **Miss Claudia's Vintage Clothing & Costumes**, 4204 Magazine St. Vintage-Kleidung von Hepburn und Bogart bis Beatles und Austin Powers, auch gebraucht, dazu Handtaschen und Accessoires.
- **183** [E5] **Penelope**, 328 Chartres St. Ausgefallene Damenmode, aber v. a. viele Accessoires.
- **184** [F4] **Queork (1)**, 838 Chartres St. Ungewöhnliches Konzept: Taschen, Geldbeutel, Gürtel u. a. Accessoires aus Kork. Filiale:
- **185** [dm] **Queork (2)**, 3005 Magazine St.
- **186** [D5] **Rubenstein Bros**, 102 St Charles Ave. Herrenkleidung der gehobenen, seriösen Kategorie.
- **187** [E4] **Wise Buys**, 532 Chartres St. Erschwingliche Designermode für Frauen.

Bücher

- **188** [E4] **Arcadian Books & Art Prints**, 714 Orleans Ave. Bücher über lokale Themen, Louisiana und New Orleans.
- **189** [E5] **Beckham's Bookshop**, 228 Decatur St. Auf drei Stockwerken Secondhand- und rare Bücher, im OG Musik (auch seltene Aufnahmen).
- **190** [C5] **Crescent City Books**, 124 Baronne St. Schwerpunktmäßig kulturwissenschaftliche Bücher, Literaturkritik und Monografien. Auch So. 10–17 Uhr geöffnet.
- **191** [D4] **Dauphine Street Books**, 410 Dauphine St., tgl. 12–19 Uhr. Vollgestopfter, enger Laden mit gebrauchten und seltenen Büchern.
- **192** [E4] **Faulkner House Books**, 624 Pirate's Alley. Im ehemaligen Faulkner-Wohnhaus gibt es v. a. Raritäten und Erstausgaben, nicht nur von Faulkner.
- **193** [bn] **Octavia Books**, 513 Octavia/Laurel St., auch So. 12–17 Uhr geöffnet. Gemütlicher, gut sortierter Buchladen mit Schwerpunkt auf Lokalem, außerdem vielerlei Events, v. a. Lesungen.

Musik

- **194** [G3] **Louisiana Music Factory**, 421 Frenchmen St. und kleiner Shop in der Old U.S. Mint, www.louisianamusicfactory.com, tgl. 11–20 Uhr. Spezialisiert auf regionale Musik: Cajun, Zydeco, Jazz, Blues, R&B und Gospel (auch kleine La-

New Orleans ist ein guter Ort, um schräge Kleidung und Schuhe zu kaufen – „vintage" und neu

New Orleans für Shoppingfans

bels), dazu Shirts, Poster und Sammlerstücke (LPs). „Schwarzes Brett" und viele Szenemagazine ausliegend.
- 🔒195 [cn] **Peaches Records,** 4318 Magazine St., www.peachesrecordsandtapes.com. Musik (Zydeco, Local New Orleans Rap, Blues u. a.), DVDs, Bücher und Café.

Märkte und Markthallen

- 🔒196 [gk] **Crescent City Farmers Market Baywater,** Chartres/Piety St., Mi. 15–19 Uhr.
- 🔒197 [C7] **Crescent City Farmers Market Downtown,** 750 Carondelet St., Sa. 8–12 Uhr, www.crescentcityfarmersmarket.org.
- 🔒198 [dj] **Crescent City Farmers Market Mid City,** 3700 Orleans Ave./Bayou St. John, Do. 15–19 Uhr
- 🔒199 [am] **Crescent City Farmers Market Uptown,** 200 Broadway St./River, Di. 9–13 Uhr
- 🔒200 [A9] **Dryades Public Market,** 1307 Oretha Castle Haley Blvd., www.dryadespublicmarket.com. Markthalle in ehemaliger Schule mit lokalen Produkten, u. a. Metzger Cochon Butcher und Bar 38, auch Veranstaltungen.
- 🔒201 [G3] **French Market Flea Market,** Zugang: Barracks oder Ursulines Street, durch den Farmers Market, tgl. 7–16 Uhr
- 🔒202 [C5] **Pythian Market,** 234 Loyola Ave., http://pythianmarket.com, So.–Do. 8–21, Fr./Sa. 8–22 Uhr. Foodhall mit Angebot von Seafood über BBQ bis zu vietnamesischer Küche. Im historischen Pythian Building von 1908, einst Zentrum des afroamerikanischen Geschäftslebens und Treff mit Theater und Konzertbühne.
- 🔒203 [fj] **St. Roch Market,** 2381 St. Claude Ave., www.strochmarket.com. Seit 1875 existierende Markthalle, die 2015 mit 13 Gourmetständen wiedereröffnete, z. B. Dirty Dishes (Crêpes), Mayhaw (Cocktails), Coast Roast Coffee, Elysian Seafood, Juice NOLA oder T2 Streetfood.

EXTRATIPPS

Für Schnäppchenjäger
- 🔒204 **Tanger Outlet Center,** 2410 Tanger Blvd., I–10 W/Hwy. 30, Exit 177, Gonzales, www.tangeroutlet.com/gonzales. Dieses moderne Outletcenter auf halbem Weg zwischen New Orleans und Baton Rouge bietet in rund 70 Shops (u. a. Gap, Guess, Old Navy, Levi's) wahre Schnäppchen.
- 🔒205 [F7] **The Outlet Collection at Riverwalk,** 500 Port of New Orleans Pl., www.riverwalkneworleans.com. Günstige Shops, Lokale, Food Court, Promenade und Infostand mit Touren.

Leckerei mit Nostalgiefaktor

Roman Chewing Candy kennt in New Orleans jedes Kind. Man kauft das „Taffy" an einem von einem Muli gezogenen hochrädrigen Verkaufswagen, der entlang der St. Charles Ave. und bei Festivals unterwegs ist. Seit 1915 produziert und verkauft die Cortese-Kottemann-Familie diese Candy-Stangen in den Geschmacksrichtungen Vanille, Schoko und Erdbeer.

EXTRAINFO

Louisiana Tax-Free Shopping

Die **Sales Tax** (Mehrwertsteuer) liegt in New Orleans derzeit bei 9,45 %, davon sind 4,45 % State Tax und 5 % City Tax. Internationale Touristen können die Steuern (abzüglich Bearbeitungsgebühr) zurückfordern, sofern sie in Läden gekauft haben, die am „Tax Free Shopping"-Programm teilnehmen. Nötig ist die Vorlage des Reisepasses und eines Flugtickets in Refund Centers (z. B. Flughafen oder Outlet Collection at Riverwalk, s. S. 77).

› Infos unter: www.louisianataxfree.com/noshoppingcenters.html

Kulinarische Mitbringsel

Produkte, die aus New Orleans bzw. der Umgebung stammen und als **nette Mitbringsel** dienen können, sind z. B. Camellia Red Beans, Zapp's Potato Chips, Zatarain's-Gerichte oder Crystal Hot Sauce.

- 🛍 **206** [F3] **Café Du Monde – Uncle Wilbur's Emporium,** 1039 Decatur St. (French Market). Kaffee, Beignet-Backmischungen, Geschenke und Mitbringsel.
- 🛍 **207** [E4] **Creole Delicacies,** 533 St. Ann Street, www.cookincajun.com. Cajun- und Creole-Spezialitäten, Soßen, Gewürze, Reis, Bohnen u. a.
- 🛍 **208** [D5] **Crescent City Cooks!,** 201 Chartres St., www.crescentcitycooks.com. Großer Shop und Kochkurse (s. S. 122).
- › **K-Paul's Louisiana Kitchen** (s. S. 63). Kochbücher und allerlei Zutaten, v. a. die „Magic Seasoning Blends" (Gewürzmischungen) von Chefkoch Paul Prudhomme (https://magicseasoningblends.com).
- 🛍 **209** [E5] **New Orleans School of Cooking & Louisiana General Store,** 524 St. Louis St., https://neworleansschoolofcooking.com. Kochkurse (s. S. 122) und Laden mit Soßen, Gewürzen, Kochutensilien u. Ä.
- 🛍 **210** [E4] **Rouses,** 701 Royal/St. Peter St. Kleiner, aber bis 1 Uhr nachts geöffneter Supermarkt im French Quarter. Ideal für Selbstversorger! Größere Filiale im CBD: 701 Baronne St.
- 🛍 **211** [D7] **St. James Cheese Co. (1),** 641 Tchoupitoulas St. Große Käseauswahl, aber auch andere Delikatessen. Filiale:
- 🛍 **212** [cm] **St. James Cheese Co. (2),** 5004 Prytania St.
- 🛍 **213** [F4] **Tabasco Country Store,** 537 St. Ann Street, www.neworleanscajunstore.com. Außer der scharfen Würzsoße auch andere Zutaten und Gewürze, dazu vielerlei Tabasco- u. a. Souvenirs.
- 🛍 **214** [E5] **Vieux Carré Wine & Spirits,** 422 Chartres St., Mo.–Sa. 9.30–20 Uhr. Der vielleicht beste Getränkeladen im Zentrum.

Verschiedenes

- 🛍 **215** [G3] **Artist's Market & Bead Shop,** 1228 Decatur St., https://theartistsmarketnola.com. Lokales Kunsthandwerk, auch Geschenke und *beads* (Ketten).
- 🛍 **216** [dm] **Bootsy's Funrock'n,** 3109 Magazine St. Ausgeflippter Laden mit allerlei Schnickschnack, *Retro Toys*, Sammlerstücken, *Vintage Clothes*, ausgefallenen T-Shirts u. v. m.
- 🛍 **217** [E4] **Forever New Orleans,** 700 Royal St. Geschmackvolle New-Orleans-Souvenirs; Filialen 606 und 308 Royal St.
- 🛍 **218** [dm] **H Rault Locksmiths,** 3027 Magazine St. Schlosserei (seit 1945), die interessantes „Zubehör", Wohnaccessoires und Souvenirs führt.
- 🛍 **219** [F4] **Jazz Funeral,** 929 Decatur St. Ausgefallene Souvenirs und Schnickschnack aller Art von Gewürzen und Soßen bis zu Ketten oder T-Shirts.
- 🛍 **220** [E5] **Pepper Palace,** 224 Chartres St. Soßenladen, aber auch Gewürzmischungen, Eingelegtes u. a. Köstlichkeiten. Filiale im French Market ⓲.
- 🛍 **221** [E4] **Roux Royale,** 600 Royal St./Toulouse St. Küchenzubehör, Kochbücher und sonstiges Kulinarisches, auch Souvenirs.
- 🛍 **222** [F3] **Second Line Arts & Antiques,** 1209 Decatur St., http://codebymatt.biz/secondlinenola. Über 150 lokale Künstler und Kunsthandwerker stellen mitten im French Quarter unter einem Dach und im Innenhof aus, dazu Antiquitäten und Schnickschnack.

▷ *Im City Park mit seinem See kann man sich perfekt entspannen*

New Orleans zum Träumen und Entspannen

Nach New Orleans fährt niemand zum Erholen – dafür gibt es geeignetere Ziele – und noch dazu dürfte ein Städtekurztrip kaum Zeit dazu bieten. Wer sich aber einmal ausruhen und die besondere Atmosphäre auf sich wirken lassen möchte, findet dennoch einige geeignete Plätze.

Schön zum Innehalten ist z. B. die **New Orleans Riverfront** ❷ entlang des Mississippi-Ufers. Hier an der Promenade zwischen dem Woldenberg Park, dem Moonwalk und dem Crescent Park (Marigny und Bywater) gibt es Grün und Ausblick auf den Fluss. Am French Market ⓲ befindet sich mit dem **Latrobe Park** (Decatur St.) kein „Park" im eigentlichen Sinne, aber eine Fläche mit Bepflanzung und Sitzplätzen – ideal für ein Päuschen, oft bei kostenloser Livemusik. Eher turbulent geht es auf der Grünanlage des **Jackson Square** ❶ zu, wo ebenfalls Bänke für müde Besucher stehen und *people watching* angesagt ist.

Die **Friedhöfe** (s. S. 20) wie auch der **Louis Armstrong Park** ❿ bieten zwar einige idyllische Plätzchen und sind gut für ein kurzes Verschnaufen, allerdings nicht unbedingt geeignete und sichere Orte für ein Mittagsschläfchen. Eine große, vielseitige Parkanlage ist hingegen der **Audubon Park/Riverview** [am], wo sich auch der Zoo befindet. Er ist mit Rasenflächen, alten Baumbeständen, Sportplätzen und Pfaden verschiedenster Art augestattet und lädt auch zum Picknick ein.

Der **City Park** ist der größte Stadtpark der USA und mit 610 ha doppelt so groß wie der New Yorker Central Park. Schön zum Sitzen ist beispielsweise das Areal um das NOMA ㉝, wo sich ein idyllischer kleiner See befindet. Auch der zum Museum gehörige Sculpture Garden eignet sich zum Ausruhen, ebenso der nahegelegene Botanische Garten. Beliebt bei den Einheimischen ist der **Washington Square Park** [G2] in Marigny. Er verfügt über einen Spielplatz und liegt in der Nähe der Nightspots an der Frenchmen St.

Zur richtigen Zeit am richtigen Ort

Veranstaltungen und Feste – in New Orleans gibt es zum Feiern so gut wie immer einen Grund. Einige Veranstaltungen wie Mardi Gras, das Jazz & Heritage Festival oder das Essence Music Festival ragen jedoch heraus. Wegen des dann großen touristischen Ansturms – aber auch sonst – ist es nützlich zu wissen, was, wann, wo los ist.

Frühjahr

- Anfang Januar: **Sugar Bowl.** Eines der Top-College-Football-Endspiele im Superdome, das seit 1935 ausgetragen wird (https://allstatesugarbowl.org).
- 6. Januar bis Faschingsdienstag: **Mardi Gras,** www.mardigrasneworleans.com oder www.mardigrasguide.com. Paraden schwerpunktmäßig ab dem vorletzten Freitag vor dem Faschingsdienstag. Die größten Umzüge finden am Rosenmontag und am „Fat Tuesday" statt.
- Mitte/Ende März: **Congo Square Rhythms Festival,** Armstrong Park. Familienfreundliches Fest am Wochenende mit afrikanischer, karibischer und lokaler Musik, Mardi Gras Indians (s. S. 39) und hochklassigem Brass-Band-Wettbewerb von Schulen.
- Ende März: **Tennessee Williams/New Orleans Literary Festival.** Theatervorführungen, Vorlesungen, literarische Stadtführungen, Musikdarbietungen u. a. in Erinnerung an den berühmten Literaten (http://tennesseewilliams.net).
- März/April: **New Orleans Spring Fiesta,** www.springfiestanola.com. An zwei Wochenenden gibt es Touren durch Stadtviertel und in privaten, sonst unzugänglichen Häusern und Gärten. Vorstellung einer Frühjahrskönigin mit Hofstaat am Jackson Square und Parade durch das French Quarter.
- 2. Aprilwochenende (Do.–So.): **French Quarter Festival,** https://frenchquarterfest.org. Musiker verschiedener Genres (Cajun, Zydeco, Gospel, Rhythm and Blues) treten auf Bühnen im French Quarter und an der Riverfront auf, auch Essensstände.

Zur richtigen Zeit am richtigen Ort

› Letztes Wochenende im April (Fr.–So.) und 1. Maiwochenende (Do.–So.): **New Orleans Jazz & Heritage Festival (JazzFest),** www.nojazzfest.com. 1970 trafen sich auf dem Congo Square erstmals 300 Musiker, heute zählt das Fest zu den Topevents. Auf mehreren Bühnen auf dem Fair Grounds Race Course wird von traditionellem bis zeitgenössischem Jazz, Blues und R&B über Gospel, Cajun, Zydeco, Afro-Caribbean, Folk, Latin, Rock und Rap bis hin zu Country, Bluegrass und Brass Bands viel geboten; sogar die großen Stars finden sich ein. Dazu gibt es Imbissbuden und Kunsthandwerksstände.
› April bzw. Mai: **New Orleans Wine & Food Experience,** www.nowfe.com. Fünftägiges Feinschmeckerfestival mit *tastings* in Shops und vielen Veranstaltungen.

Sommer

› Memorial Day Weekend (Ende Mai): **The Tremé 7th Ward Arts & Culture Festival,** http://treme7thwardcd.org. „T/7 Fest" mit Touren, Diskussionen, Konzerten und Secondline.
› Mitte Juni: **Louisiana Cajun-Zydeco Festival** (www.jazzandheritage.org/cajun-zydeco). Mit bekannten Bands und Musikern aus der Region (kostenlos).
› Anfang/Mitte Juni: **Creole Tomato Festival** (www.frenchmarket.org). Musik, Unterhaltung, Essen, Trinken.
› 4. Juli (Unabhängigkeitstag): **Go Fourth on the River,** www.go4thontheriver.com. Musik, Veranstaltungen und Feuerwerk über dem Mississippi.
› Anfang August: **Satchmo SummerFest,** https://satchmosummerfest.org. Mehrtägiges Musikfestival zu Ehren Louis Armstrongs mit hochkarätigen Bands, Ausstellungen, Workshops, Jazzmesse, Parade und kulinarischem Angebot auf dem Jackson Square. Größtenteils gratis.
› Labor Day Weekend (Anf. Sept.): **Southern Decadence Festival,** www.sou

EXTRAINFO

Aktuelle Termine
Über aktuelle Musik- und andere Veranstaltungen geben die Freitagsausgabe der **Times-Picayune** sowie die Wochenmagazine **Gambit** und **Off Beat** Auskunft. Im Internet hilft www.neworleans.com/things-to-do/festivals.
› Kulinarische Festivals: s. S. 66

Feiertage und Ferien

In den USA gibt es wegen der geringen Zahl an Feiertagen die Gepflogenheit, diese auf einen Montag oder Freitag zu legen. Die Feriensaison dauert von Memorial bis Labor Day.

› 1. Januar: **New Year's Day**
› 3. Montag im Januar: **Martin Luther King's Birthday**
› 3. Montag im Februar: **President's Day** (Washington's Birthday)
› Ende März/Anfang April: **Easter Sunday** (Ostersonntag)
› Letzter Montag im Mai: **Memorial Day**
› 4. Juli: **Independence Day**
› 1. Montag im September: **Labor Day**
› 2. Montag im Oktober: **Columbus Day**
› 31. Oktober: **Halloween** (kein offizieller Feiertag)
› 11. November: **Veterans' Day**
› 4. Donnerstag im November: **Thanksgiving Day**
› 25. Dezember: **Christmas Day**

◁ *Während Mardi Gras ist New Orleans fest in der Hand der Feierwütigen*

therndecadence.net. „The Gay Mardi Gras" – mehrtägiges Schwulenfest, hauptsächlich im French Quarter, Street Party sowie viele Veranstaltungen in Klubs und Bars.

Herbst und Winter

- Mitte Oktober: **New Orleans Film Festival,** https://neworleansfilmsociety.org/festival. Filme in verschiedenen Kinos und Theatern.
- Mitte Oktober: **Crescent City Blues & BBQ Festival,** www.jazzandheritage.org/blues-fest. Im Lafayette Square Park (CBD) gibt es drei Tage lang Gratiskonzerte lokaler und internationaler Blues- und R&B-Musiker.
- Ende Oktober, um Halloween: **Voodoo Music & Art Experience,** www.voodoofestival.com. Ein Wochenende lang Hip-Hop und Rock, hochklassige Bands, Essen und Kunsthandwerk im City Park.
- November: **Oak Street Po-Boy Festival,** www.poboyfest.com. Partystimmung an einem Sonntag in der Oak Street mit Po-boy-Verkostung (s. S. 64), Musik auf mehreren Bühnen und Verkaufsständen.
- Thanksgiving (letzter Do. im November): **Bayou Classic,** www.mybayouclassic.com. Das „Lokalderby" zwischen den beiden Footballteams der afroamerikanischen Unis Grambling und Southern University findet seit 1974 im Superdome statt.
- Ende November–Anfang Januar: **Celebration in the Oaks** (http://neworleanscitypark.com/celebration-in-the-oaks) und andere vorweihnachtliche Events (https://holiday.neworleans.com)

„We are so other!" – Das gibt es nur in New Orleans

- *Beignets, Pralines, Gumbo, Jambalaya, Muffulettas, Po-Boys und Cocktails - die Bewohner der Vielvölkerstadt New Orleans sind Feinschmecker und lieben Drinks. Das Angebot an Spezialitäten ist ebenso vielseitig wie die Bewohner (s. S. 62).*
- *Musik spielt in der Mississippi-Metropole immer und überall eine Rolle. An jeder Straßenecke stehen Musiker, in jeder Bar spielen Bands.*
- *„Laissez Les Bons Temps Rouler!" ist das Lebensmotto. Wo sonst genießt man gebeutelt von Katastrophen und Korruption das Leben mit so viel Freude, Gelassenheit und Humor?*
- *Keine Stadt in den USA bietet zwei so verschiedene Gesichter: das spanisch-französische **French Quarter** (s. S. 13) und den „amerikanischen" **Garden District** 31 mit Südstaatenflair.*
- *In keiner anderen Stadt der USA (Las Vegas ausgenommen) darf man öffentlich **Alkohol** trinken, allerdings nur aus „go-cups" (Plastikbechern).*
- *Die riesigen **Totenstädte** mit ihren besonderen Bestattungssitten und Grabmälern sind einzigartig (s. S. 20).*
- *Während des **Mardi Gras** (Karneval) herrscht in New Orleans absoluter Ausnahmezustand.*

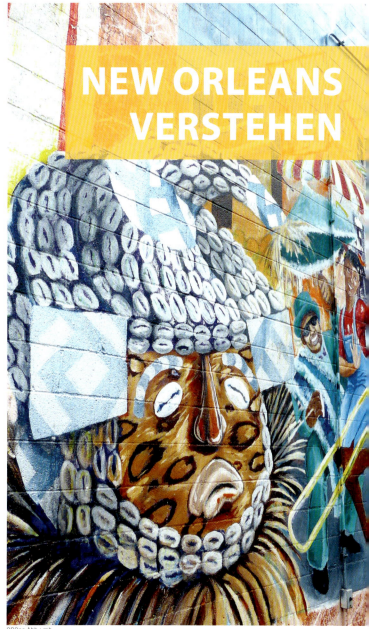

NEW ORLEANS VERSTEHEN

New Orleans – ein Porträt

Die braunen, scheinbar träge strömenden Fluten des „Ol'Man River" bestimmen seit Generationen das Leben in New Orleans. Gemächlich fließt der Mississippi dem Golf von Mexiko entgegen, gelassen ist auch der Lebensstil in der einst von Spaniern und Franzosen beherrschten Stadt.

„The Big Easy" – der Spitzname von New Orleans kommt nicht von ungefähr. Schließlich steht gerade diese Stadt synonym für Musik, Mardi Gras und gutes Essen, für Lebensart und Laisser-faire. „Laissez Les Bons Temps Rouler" oder „Let the good times roll" („Lasst uns eine gute Zeit haben") – so lautet die Parole.

Dem speziellen Charme der „alten Dame" New Orleans sind schon viele erlegen. Der Literat Henry Miller brachte es so auf den Punkt: „New Orleans ist der einzige Ort, wo man nach einem ausgedehnten Essen, begleitet von einem guten Wein und einem interessanten Gespräch, in der Altstadt spazierengehen kann und sich wie ein zivilisierter Mensch fühlt."

Mit über 394.000 Einwohnern (ca. 1,2 Mio. im Großraum auf rund 440 km² Fläche) gehört **NOLA** (für „**N**ew **O**rleans/**L**ouisi**a**na") zwar nicht zu den größten Städten Amerikas, hat jedoch, was die Attraktivität anbelangt, die Nase weit vorn und schon zahlreiche Auszeichnungen eingeheimst. Im „Bayou State" Louisiana (ca. 4,7 Mio. Einwohner) gelegen, nennt man New Orleans auch „**Queen City of the South**", „**Paris of America**" oder „**The Big Easy**". Hier läuft das Leben nach anderen Regeln, es gibt z. B. kein Ladenschlussgesetz, Bier wird, im Unterschied zum Rest der USA, billig und offen ausgeschenkt. Ein Gesetz verbietet zwar das öffentliche Herumtragen jeglicher Getränke in Glasbehältern, aber nicht in Plastikbechern – eine Gesetzeslücke.

Die **turbulente Vergangenheit** der Stadt spiegelt sich in vielerlei Hinsicht wider und macht sie erst interessant. Südländisches Alte-Welt-Flair und karibisches Temperament, verschiedenste Bauformen, Traditionen und Kulturen und ein buntes Völker-

KURZ & KNAPP

Die Stadt in Zahlen
- **Gegründet:** 1718
- **Einwohner:** 394.000, über 1,2 Mio. im Großraum, mehrheitlich katholisch
- **Einwohner/km²:** ca. 890
- **Fläche:** 440 km²
- **Höhe ü. M.:** Mit Ausnahme von French Quarter und Garden District liegt die Stadt bis zu 1,70 m unter dem Meeresspiegel.
- **Verwaltung:** 7 „Parishes", Vororte heißen „Faubourg"
- **Gesetzgebung:** eigener Civil Code nach französischem Code Napoléon
- **Flagge:** drei goldene Fleur-de-lis (Lilienblüte) auf weißem Grund gerahmt von rotem und blauem Streifen

▷ *Alt und Neu direkt nebeneinander: Vieux Carré und Business District*

◁ *Vorseite: Wandbild im Viertel Faubourg Lafayette* ③⓪

Von den Anfängen bis zur Gegenwart

Leicht lässt sich New Orleans nicht unterkriegen, schließlich hat die „alte Dame" seit ihrer Gründung nicht nur verschiedene Machthaber – Franzosen, Spanier und Amerikaner – sondern auch einiges an Katastrophen – zuletzt den Hurricane Katrina im Jahr 2005 – er- und überlebt.

gemisch prägen „N'Awlins". Die vormals königlich-französische Kolonie wechselte die Flaggen wie Bewohner ihre Hemden, bis 1803 endgültig die Amerikaner das Zepter übernahmen.

Obwohl die Stadt Mobile die erste Mardi-Gras-Parade für sich beansprucht, ist New Orleans **die Personifikation des Karnevals**. Im Frühjahr scheinen die Stadt und das Cajun Country jeglichen Realitätsbezug zu verlieren. Dann regiert **Mardi Gras**. Aus dem einst französischen „fetten Faschingsdienstag" ist ein Fest mit eleganten Bällen, v. a. aber farbenfrohen, ausgelassenen Umzügen geworden, das sich über Wochen hinzieht und die ganze Stadt in Atem hält.

New Orleans gilt zugleich als **Wiege des Jazz** und **Zentrum des Voodoo**. Zudem war die liebenswert-altmodische Stadt am Mississippi schon im 19. Jh. eine **Kulturmetropole**, die mit Paris in einem Atemzug genannt wurde. Und nicht zuletzt genießt New Orleans noch den Ruf als „**Hochburg der Haute Cuisine und der Cocktailkultur**".

Der Hurricane **Katrina** riss im Herbst 2005 New Orleans jäh aus allen Träumen: Die Bilder von **Zerstörung** und **Verzweiflung** gingen um die Welt – es schien, als sei ganz New Orleans in schmutzigbraunen Fluten versunken. Tagelang stand das Wasser in rund drei Vierteln der max. 0,50 Meter ü. M. gelegenen Stadt, forderte Menschenleben und zerstörte Existenzen. Bummelt man heute durch die Gassen der Altstadt, des French Quarter, oder durch den Garden District, das noble Uptown mit seinen von Grün gerahmten Südstaatenvillen, stellt man fest, dass der Alltag wieder eingekehrt ist.

Geschichte im Überblick

Mitte des 16. Jh.: Ansiedlung von Choctaw-Indianern, die seit etwa 800 v. Chr. im Mississippi-Delta zu Hause sind, nahe der heutigen Governor Nicholls Street Wharf, an der berühmten Biegung *(crescent)* des Mississippi.

1513–1603: Erste Erkundungsfahrten europäischer Abenteurer entlang der Küsten und Flusstäler der Südstaaten: 1513 „entdeckt" Ponce de Léon Florida und Hernando de Soto durchstreift auf der Goldsuche die heutigen Südstaaten (1539–1543).

1682: Der Franzose Robert Cavalier, Sieur de La Salle, sucht von Norden kommend nach der Mündung des Flusses. Er nennt die Region „La Louisiane" und beansprucht sie für Frankreich. Angesichts des Klimas, der Landschaft, Flora und Fauna ergreifen die als Siedler hergeschickten Franzosen rasch wieder die Flucht.

1718: Jean Baptiste le Moyne, Sieur de Bienville, gründet mit einer Handvoll Siedlern La Nouvelle Orléans, benannt nach Philip II., den Herzog von Orléans. Die prekäre Finanzlage in Versailles und der Tod des Sonnenkönigs Louis XIV. behindern die Entwicklung der Kolonie und der neuen Stadt. John Law, schottischer Spekulant und Finanzier, gründet eine Privatbank und AG, die Mississippi Company, nachdem er vom französischen Hof einen 25-Jahres-Vertrag erhalten hatte, der ihm das Handelsmonopol zusichert.

1719: Die ersten Deutschen treffen in New Orleans ein, noch ehe ein Jahr später das erste Sklavenschiff im Hafen einläuft. Im gleichen Jahr und 1721 zerstören Hurricanes viele Bauten.

1721: Der königlich-französische Chefingenieur Le Blond de la Tour beginnt, unterstützt von Adrien de Pauger, mit der Stadtplanung nach dem Rasterprinzip: Eine Platzanlage zum Fluss hin mit dominanter Kirche und flankiert von öffentlichen Gebäuden. Von dem Plan, Fluss und Lake Pontchartrain durch einen Kanal zu verbinden, bleibt die überbreite Canal Street übrig. Nach dem Tod de Paugers 1726 ignoriert sein Nachfolger Ignace François Broutin die symmetrischen Prinzipien weitgehend.

1722: New Orleans wird zur Hauptstadt des Louisiana Territoriums ernannt.

1727: Eine erste Abordnung von Ursulinen-Schwestern kommt in die Stadt. Sie gründen ein Kloster und kümmern sich fortan ebenso um medizinische und seelsorgerische Belange. Als Siedlungskern bildet sich im frühen 18. Jahrhundert das Vieux Carré heraus: 90 Blöcke zwischen Canal, Rampart St., Esplanade Ave. und Mississippi River. Das einsetzende bescheidene Wachstum der Stadt und die Entstehung einer Oberschicht hängen auch mit der Erhebung Louisianas zur Kronkolonie im Jahr 1737 zusammen. Die Ausfuhr von Zuckerrohr hilft der Wirtschaft und v. a. dem Hafen.

1756–1763: Der Siebenjährige Krieg in Europa hat auch in Amerika Konflikte zwischen Briten und Franzosen zur Folge. Obwohl sich Spanien auf die Seite Frankreichs schlägt, werden beide 1763 besiegt. Für das Louisiana-Territorium hat diese Liaison Konsequenzen: 1762 vermacht Louis XV. die Region seinem spanischen Verwandten Karl III.

1765–1785: Die französische Niederlage im Krieg hat die Zuwanderung französisch sprechender Siedler (Acadiens oder Cajuns), die von den Briten aus Kanada vertrieben wurden, zur Folge. Sie siedeln in der Sumpflandschaft westlich von New Orleans.

Ende 18. Jh.: Die französische und spanische Oberschicht verschmilzt zu den „Creoles", wie sich die in Louisiana geborenen freien Bürger nennen. Die Wirtschaft boomt dank des Zuckerrohranbaus. Beim Karfreitagsbrand 1788 werden vier Fünftel der Stadt ein Raub der Flammen. Ehe der Wiederaufbau richtig begonnen hat, sucht 1794 ein zweites Feuer die Stadt heim. Von der alten Stadtanlage Bienvilles bleibt allein der Ursulinenkonvent übrig, danach entstehen neue repräsentative Bauten wie das Cabildo (1795) und das Presbytère (ab 1791). Als Folge werden neue Bauvorschriften erlassen. Die neu in Mode kommenden Schmiedeeisenarbeiten an Balkonen oder Zäunen sowie die direkt an die Straße gerückten Häuser mit Innenhöfen sorgen für ein Stadtbild spanischer Prägung – bis heute.

1800: Die Spanier geben das Louisiana-Territorium an Frankreich zurück, faktisch bleibt die spanische Verwaltung aber bis 1803 bestehen.

1803: Dem amerikanischen Präsidenten Thomas Jefferson gelingt es, von Napoleon, der Geld für seine Kriegspläne gegen England braucht, für $ 15 Mio. das gesamte Louisiana-Areal für die USA zu erwerben. Dieser Louisiana Purchase bewirkt ab 1803, dass vermehrt US-Bürger zuwandern, gefolgt von Iren und Deutschen.

Januar 1815: Der „War of 1812" ist die letzte Auseinandersetzung zwischen den USA und Großbritannien. Tage nach dem Friedenschluss kommt es – mangels schneller Nachrichtenübermittlung – vor den Toren der Stadt zur „Battle of New Orleans". Die britischen Truppen unter Lord Edward Pakenham werden von einer zusammengewürfelten US-Truppe unter Andrew Jackson – Schwarze, Seeräuber wie der berühmte Jean Lafitte, Indianer und Bürgermilizionäre – vernichtend geschlagen.

Ab 1835: Die Stadt spaltete sich in zwei selbstständige Kommunen: die Kreolen im French Quarter und die Amerikaner im neu gegründeten Garden District. Die Stadt erlebt eine Blütezeit, zählt über 100.000 Einwohner und gilt 1840 als viertgrößte Stadt der USA. Eine Gelbfieberepidemie dezimiert die Bewohnerzahl 1853 um 15.000 Einwohner.

1858: Erste Mardi-Gras-Parade.

1862: Unions-Admiral David Farragut besetzt im Bürgerkrieg nach kurzem Seegefecht am 25. April die strategisch bedeutende Hafenstadt.

Anfang des 20. Jh.: Selbst ein Hurrikan im Jahr 1915, eine Grippeepidemie im Jahr 1918 und die Überschwemmungskatastrophe von 1927 können der Aufbruchsstimmung in der schicksalsgebeutelten Stadt keinen Einhalt gebieten.

1927: Nach dem Jahrhunderthochwasser der Mississippi-Flut werden die Deiche der Stadt ausgeweitet.

24. Juni 1973: Bei einem – bis heute ungeklärten – Brandanschlag auf die UpStair Lounge (legendärer Schwulentreff) kommen 32 Menschen ums Leben.

1978: Wahl von „Dutch" Morial zum ersten schwarzen Bürgermeister.

1984: Die Weltausstellung macht die Stadt in aller Welt bekannt.

2003: Die Feierlichkeiten anlässlich des 1803 erfolgten Louisiana Purchase finden in New Orleans statt.

▷ *New Orleans hatte viele Besitzer: Frankreich, Spanien und die USA*

The Great Deluge – eine Stadt und ihr Kampf gegen die Fluten

„New Orleans ‚counting on the levees and the Lord", das „Vertrauen auf die Deiche und Gott" ist längst ein geflügelter Satz in NOLA. Auch wenn man aus der Katastrophe im September 2005 gelernt hat, bleibt man in New Orleans skeptisch. Denn erst lange nach den apokalyptischen Ausmaßen der „Great Deluge" (s. S. 90), der „Großen Sintflut", die fast 2000 Tote und Millionenschäden nach sich zog, begannen die staatlichen Stellen zu begreifen, was alles schiefgelaufen war.

Das Corps of Engineers, jene der US-Armee unterstellte Baubehörde, ist konstant damit beschäftigt, das Deichsystem rings um die Stadt weiter zu verbessern. The Sliver by the River, die Regionen direkt am Fluss, sind dabei stets weniger gefährdet als jene am See, da sie höher liegen. Deshalb waren das French Quarter, der Warehouse District, Bywater, Faubourg Marigny, Garden District und Uptown nicht oder nur am Rande betroffen.

Als 1718 **Sieur de Bienville** New Orleans gründete, wusste er, worauf er sich einließ. Hier war der einzige Platz, der bei Stürmen und Überschwemmungen trocken blieb - das hatten ihm die lokalen Indianer bestätigt. Die Mississippi-Schleife - die zum Beinamen „Crescent City" („crescent" = Mondsichel) führte - schien der ideale Ort für einen Hafen, zumal mit dem Lake Pontchartrain ein riesiges Süßwasserreservoir zur Verfügung stand. Schon Bienville ließ ein Dammsystem errichten, das sich beim ersten schweren **Hurricane 1722** jedoch als untauglich erwies. Damals versank „La Nouvelle Orléans" erstmals in den Fluten.

Auch nach fast 300 Jahren haben sich die New Orleanians mit den Unbilden der Natur arrangiert. Nicht abgefunden hat man sich dagegen mit der Inkompetenz der staatlichen Behörden und deren mangelhaftem Katastrophenmanagement.

Seit die USA die Region westlich des Mississippi 1803 von Napoleon erwor-

020no Abb.: mb

The Great Deluge – eine Stadt und ihr Kampf gegen die Fluten

ben hatten, bemüht sich das Corps of Engineers, ein funktionierendes **Deichsystem** um die Stadt zu bauen. Ein schwieriges Unterfangen: Mit erschreckender Regelmäßigkeit wurde die Stadt 1849, 1893, 1909, 1927 und 1965 zu großen Teilen überschwemmt. Dann keimte mit einem neuen Deichsystem in den 1970/1980er-Jahren Hoffnung auf, allerdings hatten die Erbauer damals versäumt, die Deiche zu testen und die neuesten Zahlen des geologischen Amts zu berücksichtigen. Diese hatten nämlich ein konstantes **Absinken großer Teile der Stadt unter den Meeresspiegel** bescheinigt. Lag einst fast das ganze Stadtgebiet erhöht, war durch Trockenlegungen und den ständigen Betrieb von (deutschen) Pumpen, die Regenwasser aus der Stadt befördern, mit dem Grundwasserspiegel auch der Boden tief unter den Meeresspiegel gesunken. Kein Wunder, dass das Deichsystem 2005 den Fluten nicht mehr gewachsen war.

Seither arbeitet man weiter an den Deichen, verankert sie mit stabilen Pfeilern im Boden, um so das Unterspülen und Kippen zu verhindern. Weitere **Dämme, Flutbrecher** sowie mit dem Schutt aus der Stadt künstlich aufgeschüttete „**Barrier Islands**" sollen in Zukunft große Flutwellen aus dem Golf von Mexiko schon vor ihrem Hineindrücken ins Mündungsdelta des Mississippi „entschärfen". Zudem sollen die Flutkanäle und Deiche besonders um den City Park ökologisch gestaltet werden und damit teilweise **Sumpf- und Marschland** in die Stadt zurückzubringen.

◁ *Das Wohnviertel Lower 9th Ward im Frühjahr 2006 und heute* △

2004: Kathleen Babineaux Blanco wird als erste Frau zur Gouverneurin von Louisiana gewählt.

27. Aug.–3. Sept. 2005: The Great Deluge, „die große Sintflut", überrollt als Folge von Hurricane Katrina New Orleans. 80 % der Stadt werden überflutet, über 180.000 Häuser zerstört und es sind rund 2000 Opfer zu beklagen.

Frühjahr 2006: Während des Jazz & Heritage Festivals singt Rockstar Bruce Springsteen „My City of Ruins ... Come on, rise up! Rise up!" und feiert mit Zehntausenden die Wiederauferstehung der Stadt.

7. Feb. 2010: Die heißgeliebten Saints gewinnen erstmals in der Vereinsgeschichte den Super Bowl, die Meisterschaft in der Football-Profiliga NFL.

20. Apr. 2010: Deepwater Horizon Oil Spill – die Explosion einer Ölbohrplattform im Golf von Mexiko, vor der Mündung des Mississippi.

Mai 2010: Mitch Landrieu, aus einer seit Generationen berühmten lokalen Politikerfamilie, wird Bürgermeister. Sein Vater, „Moon" Landrieu, war 1970 bis 1978 Bürgermeister, seine Schwester Mary ist seit 1997 Senatorin.

Februar 2013: Der Super Bowl XLVII, das Finale der besten Profi-Footballteams der NFL, findet zum 10. Mal in New Orleans statt; die Baltimore Ravens gewinnen gegen die San Francisco 49ers.

Februar 2014: Wiederwahl von Mitch Landrieu als Bürgermeister.

Januar 2015: Auf dem Chalmette Battlefield begeht man das 200-jährige Jubiläum des Battle of New Orleans.

2017: Die N. Rampart/St. Claude Streetcar Expansion wird in Betrieb genommen.

2018: Die Stadt feiert ihren 300. Geburtstag. Nach zwei Amtszeiten muss Mitch Landrieu als Bürgermeister abtreten. Nachfolgerin wird die afroamerikanische, demokratische Politikerin LaToya Cantrell, die erste Frau auf dem Bürgermeisterposten der Stadt.

Leben in der Stadt

New Orleans war schon immer etwas Besonderes: Das Flair, die Gerüche, die Musik, die Küche, die verschiedenen Kulturen und Ethnien, der dekadent-marode Charakter der Stadt und der Laisser-faire-Lebensstil der Bewohner verschmelzen hier zu einem einzigartigen „Gumbo", einem bunt gemischten, schmackhaften Eintopf. „We are so other" ist deshalb auch das Motto der Bewohner, denn NOLA ist zwar Teil der USA, dennoch vom Rest Amerikas so weit entfernt ...

Neben „Old World Charm" und „New World Diversity" gehören zu New Orleans leider aber auch Armut, Kriminalität, ein miserables Schulsystem, Korruption und ineffiziente Behörden, davon merkt der Normaltourist allerdings wenig.

Der **Großraum,** Greater New Orleans (1,2 Mio. Einwohner), besteht im Kern aus der **Stadt New Orleans,** die mit dem **Orleans Parish** (etwa 394.000 Einwohner) identisch ist. Weitere wichtige „Landkreise" sind St. Bernard (u. a. Chalmette), Jefferson (zweitgrößter Landkreis mit etwa 439.000 Einwohnern und Orten wie Metairie, Kenner, Gretna), St. Charles, St. John sowie jenseits des Lake Pontchartrain St. Tammany (ca. 256.000 Einwohner). Vieles ist in dieser Gegend anders, nicht nur, dass ein Landkreis nach den ursprünglichen katholischen Pfarrbezirken als „Parish" bezeichnet wird. Hier heißen auch die Vororte **„Faubourgs",** es werden eigene Dialekte gepflegt und der eigene Charakter gewahrt. Verwaltungstechnisch werden mehrere **Neighborhoods** unterschieden, darunter auch touristisch interessante: Der **Central Business District** (CBD) mit dem **Warehouse District** (WHD) und **Downtown**, bestehend u. a. aus dem **French Quarter** (FQ), aus **Faubourg Marigny**, **Tremé** oder dem Viertel **Bywater**. Der **Lower Garden District** um die Magazine Street, der **Garden District** zwischen St. Charles Ave. und Magazine St. und **Uptown** mit University District, Audubon Park und Carrollton sowie Mid City mit dem **City Park** sind weitere stadtnahe Viertel.

Auch in der **Gesetzgebung** kocht New Orleans noch immer ein eigenes Süppchen: Statt der englischen Version gibt es hier seit 1808 einen eigenen **Civil Code** nach dem Vorbild des lange hier gültigen französischen „**Code Napoléon**". Die Kommunalverfassung von 1954 legt die Wahl des **Bürgermeisters** und der sieben Stadträte für jeweils vier Jahre fest. Der *mayor,* zwischen 1978 und 2010 hatten gleich vier Afroamerikaner – „Dutch" Morial, Sidney Berthelemy, Marc Morial und C. Ray Nagin – das Bürgermeisteramt inne, hat eine starke Position. Im Mai 2002 wurde Marc Morial, der seit 1994 regiert hatte, von **C. Ray Nagin**, gebürtig aus New Orleans, Absolvent der Tulane University und zuvor Vizepräsident und General Manager einer Kommunikationsfirma, abgelöst. Er lenkte die Geschicke der Stadt bis Mai 2010, wobei er sich während Katrina keine Lorbeeren verdiente. Ihm folgte **Mitchell Landrieu**. Der studierte Rechtsanwalt wurde 2014 für eine zweite Amtszeit gewählt. 2018 löste ihn dann mit **LaToya Cantrell** erstmals eine (afroamerikanische) Frau als Bürgermeisterin ab. Sie stammt zwar aus Los Angeles, lebt aber schon seit ihrer Studienzeit in NOLA und war von 2012 bis 2018 Mitglied des Stadtrats.

Berühmtester und radikalster Gouverneur des Bundesstaats Louisiana war der von 1928 bis 1935 regierende **Huey P. Long**, ein charismatischer Redner und Demagoge, ein Wohltäter der Armen, aber auch ein unerbitterlicher Machtpolitiker, der von seinen Anhängern unbedingten Gehorsam forderte. Seit 2016 fungiert **John Bel Edwards**, ein Demokrat, als 56. Governor von Louisiana. In beiden Kammern des Parlaments, Senat und Repräsentantenhaus, haben die Republikaner die Mehrheit. New Orleans selbst ist hingegen seit 1872 eine **Demokratenhochburg**.

Gesellschaft und Ethnien

Mit New York hat New Orleans rein äußerlich wenig gemeinsam, außer, dass hier wie dort ein buntes **Völkergemisch** lebt. New Orleans ist ebenso vielsprachig, multikulturell und bunt – ein **Gumbo** (Eintopf) verschiedener Kulturen und Rassen. Wo heute Menschen aus unzähligen Nationen zusammenleben, davon über 60 % dunkler Hautfarbe, kamen bereits früh – dank des Hafens – afrikanische, karibische und europäische Einflüsse zusammen, dazu indianische, da ja das Land ursprünglich den **Choctaw-Indianern** gehörte.

Als sich im Laufe des 17. und 18. Jh. die ersten französischen Einwanderer entlang dem Mississippi niederließen und sich später Spanier dazugesellten, kannte man die Bezeichnung „**Kreolen**" noch nicht. Erst im 19. Jh. begannen sich die alteingesessenen Bewohner „Creoles" zu nennen, um sich damit von den zugereisten US-Amerikanern abzugrenzen. Sie betrachteten sich als die wahren „Einheimischen" und beriefen sich auf die gemeinsamen Wurzeln mit den französischen und spanischen „Ursiedlern", der **l'ancienne population** – selbst wenn deren Blut mit indianischem oder afrikanischem vermischt war. Diese **Creoles de Couleur** und die **Creole Negros** – ehemalige Sklaven aus der Karibik, die schon im 18. Jh. als freie Bürger, als Händler und Handwerker nach New Orleans gekommen waren – wurden ursprünglich als „**les français étrangers**" bezeichnet.

Zum Völkergemisch gesellte sich in der zweiten Hälfte des 18. Jh. eine Schar von Franzosen, die aus der kanadischen Provinz Nova Scotia vertrieben worden waren: die Acadiens oder **Cajuns**. Sie siedelten bevorzugt im Sumpf- und Marschgebiet westlich der Stadt und in den Ebenen von Südwestlouisiana, errichteten kleine Dörfer und lebten eher schlecht als recht von Viehzucht, Landwirtschaft, Fisch und Meeresfrüchten. Der harte Neubeginn schweißte die ehemaligen Frankokanadier zusammen und ließ sie zu einer bis heute eigenständigen Bevölkerungsgruppe mit spezifischen Eigenheiten werden. Dazu gesellten sich südöstlich von New Orleans, um die Ortschaft New Iberia, Siedler von den Kanarischen Inseln und aus Málaga. Zudem waren und sind verschiedene Indianerstämme wie die **Chitimacha** hier zu Hause.

Erst als zu Beginn des 19. Jh. die Amerikaner die Zügel in die Hand nahmen, verbreitete sich die „Yankeesprache" Englisch. Allerdings darf man sich auch heute nicht wundern, dass so viele **französische Ausdrücke** und Namen – wie Lagniappe, Andouille, Mardi Gras oder Beignet – noch immer gebräuchlich sind.

Wanderten im 18. und 19. Jh. vor allem Iren und Deutsche, Engländer, Sizilianer und immer wieder Franzosen zu, strömen ab Mitte der 1970er-Jahre verstärkt Asiaten – besonders Vietnamesen – und außerdem Mittelamerikaner sowie Mexikaner in die Stadt. Die Deutschen ließen sich bevorzugt **downriver** nieder, weshalb diese Region den Beinamen „German Coast" erhielt und Orte wie Augsburg, Karlstein, Gretna oder Mariental entstanden. Ihr Einfluss macht sich jedoch auch in der Stadt bemerkbar, z. B. bei der Haydel Bakery, der Jackson Brewery, dem Gruenwald Hotel, bei Dixie Beer, Kolb's oder Schwegmann's Grocery.

Angesichts der Rolle der Franzosen bei der Besiedelung verwundert es nicht, dass New Orleans die einzige Großstadt in den USA ist, in der der **Katholizismus** dominiert, dass hier der Erzbischof sitzt und über die Hälfte der Bevölkerung katholisch ist. Allerdings verhält sich hier die Kirche weit weniger dogmatisch-moralisch als vielmehr liberal und tolerant – dem „Stadtklima" angepasst.

New Orleans ist stolz auf einige **große Namen**: Louis Armstrong, Fats Domino, Mahalia Jackson, Al Hirt, die

◁ *Zu Besuch in einer ganz besonderen Stadt*

Neville Brothers, Wynton Marsalis oder Randy Newman sind Vertreter der großen Musiktradition der Stadt, George Washington Cable, Truman Capote, Walker Percy, Tennessee Williams, Julie Smith und Anne Rice große Schriftsteller und John Goodman, Barbra Streisand oder Ellen DeGeneres bekannte Schauspieler/Entertainer. Ernest J. Bellocq machte Karriere als Fotograf und ging in den Etablissements von Storyville ein und aus. Ebenfalls stadtbekannte Persönlichkeiten waren die Baroness Pontalba, Marie Laveau, Kate Chopin, Alice Heine oder Madame LaLaurie.

Was alle New Orleanians verbindet und zugleich vom Rest der USA absetzt, ist ihr Wesen, ihr **Lebensstil.** New Orleans ist keine typische Südstaatenstadt – dazu waren und sind Entstehung, Geschichte, Architektur und Klima, Dialekt und Küche zu verschieden vom Rest des Südens. Das eindeutig südländische Temperament der Bewohner hängt sicher auch mit dem **Klima** – der dumpffeuchten Hitze und den häufigen, sintflutartigen Regenfällen – zusammen. Durchsetzungsvermögen und Entschlossenheit, Stolz und Traditionsbewusstsein gehören zu den Charakteristika der Einheimischen ebenso wie das Hinwegsetzen über Zwänge und Verbote. Wie schon Henry Miller feststellte, regieren hier Genussfähigkeit und Müßiggang, Toleranz und Liberalität – und nicht zuletzt uneingeschränkte Lebensfreude und Trinkfestigkeit – keine andere Stadt hat wohl eine derartige Geschichte und Kultur des Trinkens. Dazu gesellt sich eine unvorstellbar große Freundlichkeit, Hilfsbereitschaft und Redseligkeit – Züge, die New Orleans zu einer besonderen Stadt machen.

Geografie und Klima

Die Lage in einem Bogen des Mississippi verhalf der Stadt zu einem ihrer Spitznamen: **Crescent City** (*crescent* = Mondsichel). Im Süden begrenzt vom Fluss und im Norden vom größten Süßwassersee der Südstaaten, dem Lake Pontchartrain, ist New Orleans eigentlich eine Halbinsel – man bezeichnete sie deshalb auch als **Isle d'Orleans.** Diese spezifische Geografie hatte zumindest bis zum Bau der ersten Brücke 1958 eine gewisse Isolation zur Folge, brachte aber auch eine eigenständige kulturelle Entwicklung und das Festhalten an Traditionen mit sich und setzte dem Flächenwachstum natürliche Grenzen.

Geprägt wird die Stadt vom **Mississippi,** zusammen mit dem Missouri der drittlängste Fluss der Welt. Träge dahinfließend wird er seinem Namen noch gerecht: „Misi sipi" oder „mach ceba", das „große Wasser", nannten die Indianer den „Ol' Man River", der auf knapp 3800 km Länge vom Itasca-See in Minnesota zum Golf von Mexiko das Zentrum Nordamerikas quert. Zwar sind es noch rund 160 km bis zur Mississippi-Mündung am Golf von Mexiko, doch New Orleans liegt bereits im **Schwemmland des Mississippi River Delta.** Mit Ausnahme von French Quarter und Garden District liegt die Stadt **bis zu 1,70 m unter dem Meeresspiegel.** Die Trockenlegung großer Teile des einstigen Sumpfgebiets um die Altstadt hat den Boden komprimiert und absinken lassen, deshalb bilden heute große Teile der Stadt eine Schüssel zwischen Mississippi und Lake Pontchartrain und müssen durch Deiche geschützt werden.

Umgeben von einem riesigen Eichen-Zypressen-Sumpf und durchzogen von zahlreichen Bayous – ein aus der Choctaw-Indianersprache stammendes Wort für die versumpften Altwasserlandschaften – liegt der südliche Teil Louisianas auf dem Breitengrad von Kairo und weist **feuchtwarmes, subtropisches Klima** auf. Wenig angenehm ist dabei die hohe Luftfeuchtigkeit von 60 bis 70 %, die den Schweiß aus allen Poren treibt, aber auch zur Folge hat, dass Bananenbäume zum Stadtbild gehören. Berühmt-berüchtigt sind die Regengüsse: New Orleans steht mit rund 1625 mm Niederschlägen im Jahresdurchschnitt auf der Liste der regenreichsten US-Städte an zweiter Stelle hinter Mobile/Alabama. Am meisten Regen fällt im Juli.

Hurricanes und **Überschwemmungen** bedrohen von jeher die Stadt. Nicht ohne Grund wurde sie spaßhaft „The city built where God never intended a city to be built" („Die Stadt, die dort gebaut wurde, wo Gott niemals eine vorgesehen hat") genannt. Seit der ersten Trockenlegung 1904 mittels Pumpen sind zwar Deiche entstanden und v.a. nach 2005 Vorsichtsmaßnahmen ergriffen worden, doch sind diese bis heute unzureichend.

Das Bild vom träge dahinfließenden **Mississippi** trügt. Der Fluss ist bis zu 45 m tief, bis zu 600 m breit und transportiert in der Sekunde etwa 13 Mio. Liter Wasser! Weitere Flüsse wie der Atchafalaya und über 40 Seen bilden die **Wetlands** (Marschland und Sümpfe), eine Landschaft mit einem an sich ausgewogenen Verhältnis zwischen Süß- und Salzwasser. Erst der Mensch, besonders auf der Suche nach Öl, bedroht seit einigen Jahrzehnten zunehmend diese Feuchtgebiete, die eine wichtige Schutzzone bei Hurricanes und Überschwemmungen, aber auch bei Ölkatastrophen, bilden.

Wirtschaft und Tourismus

Die Zeiten sind vorbei, als Baumwolle, Zuckerrohr, Reis und Indigo allein die Geschicke von New Orleans und Louisianas bestimmten. Heute spielen für die Region **Erdöl** und daraus hergestellte Produkte, **Handel** (Hafen), **Dienstleistungsgewerbe**, **Tourismus** und – mit Abstand – **Landwirtschaft** sowie **Fischerei** die wichtigste Rolle im Wirtschaftsleben.

Louisiana liegt strategisch günstig am Golf von Mexico, an der Mündung des Mississippi River, verfügt über einen 23.330 km langen Inlandswasserweg und fungiert dadurch als Zugangstor für das stark industrialisierte Mississippi River Valley und als wichtiger Exportknotenpunkt für Waren in den amerikanischen Mittelwesten. Der Staat verfügt über mehrere Tiefwasserhäfen und schlägt dort große Mengen an Waren (v.a. Container) um, darunter fast die Hälfte aller amerikanischen Getreideexporte, dazu Chemikalien, Stahl, Öl und Kohle.

Der **Port of New Orleans** ist Teil eines Hafenkomplexes, der sich die ganze Mississippi-Schleife entlangzieht und bis nach Baton Rouge hinaufreicht. Der **Hafen** ist in der Region ein wichtiger Arbeitgeber. Vor allem werden Erdöl, Stahl, Gummi, Getreide, Bauholz, Kupfer und Container mit Geräten, Lebensmitteln u.a. Konsumgütern umgeschlagen, dazu kommt Kaffee. In Sachen Güterumschlag konkurriert man mit den Häfen von Rotterdam und New York um den Toprang.

Einen führenden Platz nimmt Louisiana immer noch in der **Erdöl- und Erdgasproduktion** (v.a. „off-shore", auf dem Wasser) ein, seit es nach den fetten Jahren von 1930 bis 1980 die Vormachtstellung an Texas abtreten musste. Der **Chemical Corridor** mit seinen aufgereihten Raffinerien zwischen New Orleans und Baton Rouge legt qualmend und stinkend Zeugnis davon ab. Ab den 1980er-Jahren verlagerte sich die Ölförderung zunehmend auf den Meeresboden *(offshore)*.

Im „**Ruhrgebiet am Mississippi**" werden neben Öl, Raffinerie- und petrochemischen Produkten – diese Sparten garantieren allein fast ein Fünftel aller Jobs in Louisiana – v. a. Salz, Schwefel, Erd- und Flüssiggas produziert. In verstärktem Ausmaß „kaufen" sich internationale Firmen ein, besonders chemische Industrie und Raffinerien.

In der **Landwirtschaft** fand ebenfalls ein Wandel statt: Das bis Ende des 18. Jh. bevorzugt gepflanzte Indigo wurde vom **Zuckerrohr** abgelöst, das heute noch neben Reis und Baumwolle, Süßkartoffeln und Pecannüssen angebaut wird. Die **Seafood-Industrie** Louisianas nimmt nach Alaska Platz 2 ein, doch diese traditionelle Einkommensquelle scheint durch künstlich angelegte Industriekanäle und Ölunfälle gefährdet. Reisfelder werden heute nach der Ernte geflutet und zu Crawfish- oder Shrimp-Aufzuchtfarmen umfunktioniert und Aquakulturen sorgen für die erforderlichen Mengen an den begehrten Austern und *catfish* (Wels).

Vermehrt verlässt sich die Stadt New Orleans auf ihr drittes Standbein, den **Tourismus**. Das Dienstleistungsgewerbe verhilft über 80.000 Menschen zu Arbeit und der Tourismus stellt somit die Haupteinnahmequelle der Stadt dar. Nach der Katastophe von 2005 haben sich die Besucherzahlen wieder erholt. Die Zuwächse sind beachtlich: So wurden 2017 17,74 Mio. Besucher registriert, was einem Plus von 5,7 % gleichkommt.

Die meisten US-Besucher kommen geschäftlich zu Messen und Kongressen oder zu Sportereignissen. New Orleans verzeichnet nämlich einen florierenden Messetourismus und im Convention Center finden zahlreiche Events statt.

Ein enormer Besucherandrang (über 1 Mio. Menschen) ist während **Mardi Gras** zu verzeichnen, aber auch Sugar Bowl, French Quarter Festival oder Jazz & Heritage Festival sorgen für klingende Kassen. Zudem gilt der **Port of New Orleans** mit den benachbarten Erato und Julia Street Cruise Terminals (https://portnola.com) als wichtiger **Kreuzfahrthafen** (z. B. Norwegian oder Carnival Cruise Lines) mit über 1,15 Mio. Passagieren jährlich. Flusskreuzfahrten auf dem Mississippi, aber auch Karibikkreuzfahrten steuern New Orleans an. Nach Jahren des großen Booms mit der Legalisierung des **Glücksspiels** in Louisiana 1991 hat sich die Euphorie gelegt. Schließlich hat die Stadt mehr zu bieten als das Kasino Harrah's – das jedoch über 2000 Arbeitsplätze bietet.

Ein in Louisiana boomender Wirtschaftszweig ist die **Filmindustrie**: Sümpfe, Plantagenhäuser und Live Oaks (Quercus virginiana, immergrüne Eichen) sind beliebte Motive, auch für Werbespots. 1908 wurde als erster Film „Faust" produziert, 1918 folgte ein Tarzan-Film, dann Verfilmungen von Romanen von Südstaatenautoren wie „Evangeline" (1929) oder „A Streetcar Named Desire" (1951/84). Seither sind Stadt und Region beliebte Filmkulissen, z. B. für Filme wie „The Free State of Jones" (2016), „12 Years a Slave" (2013) „Schultze gets the Blues" (2004), „The Green Lantern" (2010) oder die TV-Serien „Treme", „True Detective" (HBO) oder „Nightwatch".

Leben in der Stadt

Auch im **Bildungssektor** behauptet sich New Orleans. Es gibt insgesamt neun Hochschulen, darunter die staatliche University of New Orleans als größte, gefolgt von Tulane, Loyola und Xavier. Das in der Stadt angesiedelte Medical Center, das an der Canal Street weiter ausgebaut wird, genießt landesweit hohes Ansehen.

Stadtökologie

Ein wunder Punkt in New Orleans ist die **Umweltverschmutzung**. Hier machen sich die locker-südländische Lebensweise und die Heerscharen von Touristen eher negativ bemerkbar. Läuft man frühmorgens durch das French Quarter, v. a. durch die Bourbon Street, erschrickt man angesichts der Massen von Unrat und Schmutz. Plastikbecher prägen das Straßenbild, bis die Spuren des Nachtlebens durch die Straßenreinigung entfernt werden.

Der Stadtkern unterschied sich schon immer von dem Zentrum anderer amerikanischer Städte, die nur tagsüber belebt, nachts aber ausgestorben sind. Rund um die Uhr tummeln sich im French Quarter Menschen und hier befinden sich die teuersten Immobilien – neben Lakeview und Uptown. Im Zentrum gibt es hübsch herausgeputzte Häuschen, schöne Häuser mit umlaufenden gusseisernen Balkonen oder renovierte Apartmentbauten, aber nur ein paar Straßen weiter bröckelt dann wieder der Putz, die Installationen sind mittelalterlich. Renovierungs- und Verschönerungsmaßnahmen sind überall im Gange, im Zentrum z. B. in Tremé. Dieses aus der gleichnamigen TV-Serie bekannte Viertel gilt als der „Birthplace of Jazz", als das älteste schwarze Wohnviertel.

Die Hauptschuld an der Verschmutzung von Luft und Gewässern trägt die **petrochemische Industrie.** Auch wenn es inzwischen ruhig geworden ist, stellt sich nicht nur die Frage, wie sinnvoll die Fortsetzung der Ölbohrungen im Meer ist, sondern auch, was aus all dem ausgelaufenen Erdöl geworden ist und wie das Meer und die Küstenregion die Verschmutzung letztendlich verkraften werden (Infos: www.restorethegulf.gov bzw. http://response.restoration.noaa.gov). Der

Musik im Blut

Chemical Corridor macht Louisiana zu einem der schlimmsten Wasserverschmutzer unter den US-Staaten. Gab es früher Meeresgetier in Hülle und Fülle, macht sich jetzt deutlich ein Rückgang bemerkbar. Das Baden im Lake Pontchartrain ist seit Jahren untersagt und Fische sind dort so gut wie ausgestorben.

Das Ökosystem des ausgedehnten Küstenmarschlands, der **Wetlands**, ist stärker gefährdet denn je, das empfindliche Gleichgewicht zwischen Süß- und Salzwasser gerät zunehmend aus den Fugen. Versuche, die Sumpf- und Marschregionen zu schützen, wurden in den letzten Jahren forciert. Naturschutzparks und Einrichtungen wie das **Audubon Nature Institute** oder der mehrteilige **Jean Lafitte National Historical Park & Preserve** setzen sich für den Erhalt gefährdeter Tiere und Pflanzen ein und versuchen zugleich, Besuchern die Augen zu öffnen. Das **Audubon Nature Institute** führt Natur- und Umweltschutzprogramme durch (http://audubonnatureinstitute.org/conservation-programs). Es kooperiert mit dem Freeport-McMoRan Audubon Species Survival Center und unterhält Laboratorien, Informations- und Forschungszentrum sowie eine Tierklinik.

◁ *Nach der Erdölindustrie spielt in Louisiana vor allem die Verarbeitung von Zuckerrohr eine wichtige Rolle*

▷ *Chris Ardoin setzt die Musiktradition des Cajun Zydeco (s. S. 100) fort*

Wie keine andere Stadt der Welt hat New Orleans Musik im Blut. Jazz, Cajun, Zydeco, Swamp Pop, Blues, Jazz, Funk, Soul, Country, Gospel, Brass Bands – die Liste der Musikrichtungen ist ebenso lang wie jene der Musiker aus der Stadt. Wer New Orleans besucht, wird schnell selbst von ihrem besonderen Rhythmus ergriffen und swingt mit ...

Dank Louis Armstrong, dem berühmtesten Sohn der Stadt, hat es sich längst herumgesprochen: New Orleans ist die **Heimat des Jazz**. Das bestätigt sich an jeder Straßenecke, auf jedem Platz und in jeder Kneipe. Allerdings hat die Stadt mehr zu bieten: 1796 wurde hier die erste Oper in Nordamerika aufgeführt und außer Jazzlegenden wie Armstrong, Fats Domino, Harry Connick Jr. oder zuletzt

Satchmo – Louis Armstrong

„(In diesem Häuserblock) wimmelte es von frommen Kirchgängern, Bankrotteuren, Spielern, kleinen Zuhältern, Dieben, Prostituierten und Schwärmen von Kindern; da gab es Bars, Saloons, Cabarets und sogenannte honky tonks, übel beleumdete Tanz-Cabarets ..." In diesem Milieu, in Back o'town - wie Louis Armstrong den **„Hinterhof" von New Orleans** in „Mein Leben in New Orleans" (1953) nannte -, wuchs er auf.

Von der **Mutter**, einer **drogenabhängigen Prostituierten**, sah er nicht viel, erst recht nicht vom **Vater**, der, nachdem Louis am 4. Juli 1900 das Licht der Welt erblickt hatte, das Weite gesucht hatte. Er wuchs im **Waisenhaus** für schwarze Kinder auf, wo einer der Lehrer Louis' **musikalisches Talent** erkannte und förderte. Mit 18 übernahm Armstrong seinen ersten Fulltime-Job als Trompeter in der Band von Edward Kid Ory, um sich anschließend seine Brötchen klassisch auf einem Raddampfer zu verdienen. Wie viele Musiker vor ihm, zog es auch ihn nach **Chicago,** wo er 1923/24 Mitglied von Joe „King" Olivers Creole Jazz Band war und erste Plattenaufnahmen machte. Seine ersten eigenen Bands, die Hot Five und die Hot Seven in den 1920er-Jahren, sind jedem Jazzfan ein Begriff.

053no Abb.: mb

*Dass "**Satchmo**" seinen Spitznamen während einer Europatournee Anfang der 1930er-Jahre in England erhalten haben soll – wegen seines großen Mundes, englisch "satchel mouth" –, ist kaum bekannt.*

*Der immer gutgelaunte und umgängliche Armstrong machte sich auch in der **Filmindustrie** einen Namen. Er trat in rund 60 Filmen auf, seine berühmteste Rolle dürfte die in "High Society" gewesen sein. 1947 kehrte er in seine Heimatstadt zurück und fungierte zwei Jahre später als "**King of Zulu**", als Oberhaupt der bedeutenden afroamerikanischen Mardi-Gras-Gesellschaft. In Afrika (1956) und erneut in Europa (1959) unterwegs, kannte der Jubel, der Satchmo entgegengebracht wurde, keine Grenzen, allerdings bremste ein erster **Herzanfall** vorübergehend seine Schaffenskraft.*

*Die Charakterisierung Truman Capotes, der Armstrong 1928 während eines Auftrittes auf einem Schiff traf und als "grinsenden braunen Buddha" bezeichnete, trifft die Wahrheit nur zum Teil. Satchmo war Optimist und lieferte seelenvolle "good time music", doch dahinter steckte ein anderer, ernsterer Armstrong. Jener verbrachte viel Zeit am Schreibtisch, verfasste **Zeitungsartikel** und **Kolumnen** und schrieb seine Erinnerungen akribisch nieder.*

Armstrong, der von Charlie Parker und Miles Davis verehrt wurde und in Musiklexika als "größter Jazzmusiker aller Zeiten" geführt wird, übt bis heute – Jahrzehnte nach seinem Tod im Jahr 1971 – Einfluss auf die moderne Jazzmusik aus.

Trombone Shorty traten hier die Gospelsängerin Mahalia Jackson ebenso auf wie der Cajun-Music-Star Beau Jocque, die Country-Legenden Tim McCraw oder die Kix Brooks (Brooks & Dunn), Sammy Kershaw und Britney Spears.

Die wohl berühmtesten Musikerfamilien aus New Orleans heißen Marsalis und **Neville**. 1986 war den Brüdern Aaron, Cyril, Charles und Art Neville mit dem Album "Yellow Moon" der Durchbruch gelungen. Dies und die große Ehre, das Jazz & Heritage Festival alljährlich beschließen zu dürfen, sorgten dafür, dass die typisch New Orleanser Mischung aus Jazz, Blues, Funk und Soul, untermalt von Aarons vibrierender Falsettstimme, um die Welt ging.

Der Name **Marsalis** ist in der Jazzszene seit Langem gleichbedeutend mit hoher Qualität. Vater Ellis (Piano und Gesang) kann dabei stolz auf seine vier talentierten Söhne sein: Jason (der jüngste), der an dem NOCCA seine Schlagzeugausbildung absolvierte, Delfeayo (Posaunist), Saxofonist Branford, der sich auf klassische Interpretationen spezialisiert hat, und – der Bekannteste der Familie – Wynton. Als Trompeter und ehemaliger NOCCA-Absolvent gehört er zu den Topstars der modernen Jazzszene. In seine Fußstapfen tritt **Trombone Shorty**, der schon als kleiner Junge als Posaunist auffiel. Ein weiterer namhafter junger Jazzmusiker ist **Christian Scott**, aber auch Indiebands wie die **Honey Island Swamp Band** oder **Hurray for the Riff Raff** sorgen ebenso für frischen Wind wie

◁ *"Satchmo" Louis Armstrong wurde mit einer Bronzestatue im Louis Armstrong Park* ❿ *verewigt*

die derzeit angesagten **King James & the Special Men**, die in der Tradition von Fats Domino oder Professor Longhair eine Neuinterpretation des New Orleans Jazz mit einem kreativen Mix aus verschiedenen Musikstilen der Stadt bieten.

Ebenfalls viel zu hören sind **Cajun Music** und **Zydeco**, die heißen Rhythmen aus dem Sumpfgebiet des Mississippi-Deltas. Während Cajun Music – zu den berühmten Bands gehören **Steve Riley & the Mamou Playboys**, **BeauSoleil** oder **Feufollet** – eher die „Volksmusikvariante" mit traditionellen Instrumenten wie Fidel, Akkordeon, Frottoir (ein metallenes Waschbrett, das mit dem Löffel geschlagen wird) und Triangel ist, kommen beim Zydeco andere Instrumente dazu. Diese modernere Variante aus Cajun, Blues, karibischer und afrikanischer Musik wird vor allem von schwarzen Kreolen aus dem südlichen Louisiana dargeboten und erlebt dank Musikern wie **Geno Delafose**, **Chris Ar**doin, **Dwayne Dopsie**, **Bruce „Sunpie" Barnes** oder **Rosie Ledet** einen Boom.

Die lange Tradition der **Brass Bands**, der Blasmusikgruppen aus New Orleans, die ursprünglich Beerdigungszüge begleiteten, lebt in Gruppen wie der Dirty Dozen Brassband oder der Rebirth Brass Band fort.

> **EXTRATIPP**
>
> **Tipps für Musikliebhaber**
> Die **Louisiana Music Factory** (s. S. 76) ist auf jeden Fall ein Muss für jeden Musikliebhaber. Seit dem Umzug an die Frenchmen Street Anfang 2014 bietet der geräumige Laden dem Besucher nicht nur eine enorme Auswahl an CDs aller lokaler Musikrichtungen, man wird hier auch noch fachkundig beraten und kann es sich an Hörstationen gemütlich machen. Es gibt außerdem für Liebhaber Musik-Raritäten, Poster, Karten und T-Shirts.
>
> Der lokale Radiosender **WWOZ 90.7 FM** ist berühmt für seine Musiksendungen und Livekonzerte (Infos: www.wwoz.org).

Musik gibt es an jeder Ecke: hier eine Straßenband im French Quarter

PRAKTISCHE REISETIPPS

An- und Rückreise

Reiseplanung und Flüge

Es gibt aus dem deutschsprachigen Raum derzeit eine **Nonstopverbindung** nach New Orleans: mit Condor (ab Frankfurt am Main, Ende Apr.–Ende Sept. zweimal wöchentlich, www.condor.com/de/index.jsp). Mit einem **Zwischenstopp** fliegen mehrere Gesellschaften, so z. B. Delta, Air France/KLM, American Airlines oder United/Lufthansa. Die reine **Flugzeit** beträgt um die elf Stunden, die **Flugpreise** bewegen sich zwischen ca. 650 € (Nebensaison, Sonderangebote) und 1200 € in der Hauptsaison. Zur ersten Orientierung helfen große Internetportale wie www.expedia.de. Auch die Fluggesellschaften selbst offerieren immer wieder zeitlich befristete Sonderangebote.

Der Großteil der Flugzeuge landet am Nachmittag oder frühen Abend in New Orleans, da die **Zeitverschiebung** 7 Stunden beträgt. Auf dem Hinflug lassen sich die Auswirkungen des **Jetlags** weitgehend vermeiden, die Tage nach durchwachter Nacht im Flieger auf dem Rückflug bereiten in der Regel größere Probleme.

Ankunft und Fahrt in die Stadt

Der **Louis Armstrong New Orleans International Airport** hat – etwas verwirrend – den IATA-Code MSY, was daher rührt, dass er ursprünglich Moisont Stock Yards bzw. Moisont Field genannt wurde. 1960 wurde der Flughafen in New Orleans International Airport und 2001 – zu Armstrongs 100. Geburtstag – schließlich in Louis Armstrong New Orleans International Airport umbenannt.

Der Airport, der ständig ausgebaut und modernisiert wird, liegt in Kenner, gut 20 km westlich von New Orleans Downtown und ist durch den US Hwy. 61 (Airline Hwy.) angebunden. Flüge aus 59 Städten in den USA und Kanada landen und starten hier. Im Flughafen gibt es **Serviceeinrichtungen** wie TravelEx, Post, kostenloses WLAN und das **Mietwagenzentrum** (ab West Terminal Baggage Claim, Walkway im Freien) ist leicht erreichbar.

› **Infos:** www.flymsy.com
› **Fundbüro (Lost & Found):** Upper Level Concourse C Lobby, Mo.–Fr. 8–17 Uhr, Tel. 504 3037790
› **Visitor Information Services:** Concourse C Lobby, 2. Ebene, Tel. 504 3037792, tgl. 5–21 Uhr

Etwa alle 15 Min. fahren **Airport Shuttles** in die Stadt (Tickets $ 24 bzw. $ 44 für Hin- und Rückfahrt, Abfahrt: Lower Level, Baggage Claim). Sie steuern beliebige Hotels im Central Business District an.

› www.airportshuttleneworleans.com (Tickets auch online), Tel. 504 5223500

Da die Kleinbusse der Airport Shuttles meist bis auf den letzten Platz vollgepackt werden und die Fahrt wegen zahlreicher Stopps eine Stunde dauern kann, ist die Fahrt mit dem **Taxi** (bzw. Uber oder Lyft) bei zwei oder mehr Personen angenehmer und schneller. Eine Taxifahrt in die Innenstadt kostet für bis zu zwei Personen $ 36, ab drei Passagieren werden $ 15 pro Person berechnet (Stand: Frühjahr 2019).

Mit nur $ 2 preiswert ist hingegen die 45-minütige Fahrt mit dem **öffent-**

◁ *Vorseite: Auf Mississippitour mit der Natchez (s. S. 122)* lichen Bus, dem Airport-Downtown Express (E-2). Er verkehrt von 6 bis 22 Uhr ab Airport Entrance Door Nr. 7 auf dem Upper Level (Delta Terminal „Departures"). Die **Buslinie 202** fährt dagegen achtmal täglich zwischen 6 und 19 Uhr.

› Infos: www.jeffersontransit.org/e2airport.php bzw. www.norta.com/Maps-Schedules/System-Map/Line.aspx?ID=202

Ankunft per Bahn oder Bus

Die Eisenbahngesellschaft **Amtrak** verkehrt entlang der Westküste und bietet sich für Städtetrips an. Verschiedene Züge verbinden New Orleans mit dem Rest der USA:

› Der **Sunset Limited** fährt dreimal wöchentlich von New Orleans über San Antonio und Tucson nach Los Angeles.
› Der **City of New Orleans** fährt täglich nach Memphis und Chicago.
› Der **Crescent** fährt täglich nach Atlanta, Charlotte, Washington, D.C., Philadelphia und New York.

Der **Union Passenger Terminal** liegt zentral im CBD, die überregionale Busgesellschaft **Greyhound** (www.greyhound.com) ist im gleichen Bau zu Hause.

•223 [A7] **Union Station,** 1001 Loyola Ave., www.amtrak.com (auch dt.), in Deutschland: www.crd.de/bahnreisen-und-zugverbindungen-amtrak-usa

Autofahren

Autofahren ist in den USA normalerweise entspannend, man fährt defensiv und gemächlich. Die dagegen eher **temperamentvoll-unvorhersehbare Fahrweise** in New Orleans macht das Herumkommen gelegentlich etwas stressig, v. a. im Großraum und zur Rushhour (ca. 7-9 und ab 16 Uhr). Wer einen reinen Städtetrip plant, kann in New Orleans aber auch gut auf einen Wagen verzichten, vieles ist zu Fuß erreichbar und gegebenenfalls hilft der öffentliche Nahverkehr weiter.

Auch die **hohen Parkgebühren** in öffentlichen Parkhäusern (vorwiegend im CBD), die gepfefferten Parkpreise für Hotelgäste (bis $ 50 pro Nacht) und die **Probleme, im French Quarter zu parken,** lassen einen gern auf ein

▽ *Überschaubar und modern: der Flughafen Louis Armstrong*

> **EXTRAINFO**
>
> **Pannen und Notfälle**
> Bei einer Panne schickt der Autoverleiher, sofern möglich, einen Servicewagen.
> › **Allgemeiner Notruf:** Tel. 911
> › **AAA-Pannendienst:**
>   Tel. 1 800 2224357

eigenes Auto verzichten. Wer dennoch im Auto unterwegs ist, kann sich in Sachen **Parkplatz** hier kundig machen: www.bestparking.com/new-orleans-la-parking. **Strafzettel** für falsches Parken können unter www.nola.gov/pay-tickets bezahlt werden.

Einen **Mietwagen** bucht man am besten von zu Hause aus, da die angebotenen Komplettpakete günstiger sind als eine Buchung vor Ort. Abgesehen von den großen Firmen wie Avis (www.avis.de), Alamo (www.alamo.com) oder Hertz (www.hertz.com) gibt es auch Mietwagenbroker (z. B. www.mietwagen24.de).

Der **Automobilklub AAA** versorgt Reisende mit aktuellem Kartenmaterial und TourBooks. Außerdem leistet er Automobilklub-Mitgliedern „Emergency Roadside Assistance". AAA (www.aaa.com) betreibt mehrere Filialen im Großraum New Orleans.

● **224 AAA Louisiana,** 3445 N Causeway Blvd., Metairie, Tel. 504 8387500, Mo.–Fr. 9–17, Sa. 9–13 Uhr

Besondere Verkehrsregeln

› **Geschwindigkeiten:** Im Stadtgebiet gelten 25 mph (ca. 40 km/h), auf Landstraßen 65 mph (ca. 105 km/h), auf Autobahnen max. 75 mph (ca. 120 km/h) bzw. 70 mph (110 km/h) im städtischen Einzugsbereich. **Speeding** (zu schnelles Fahren) wird scharf überwacht und bestraft.

› **Rechtsabbiegen** bei Rot ist erlaubt, sofern dies gefahrlos möglich und kein Schild „No turn on red" (Abbiegen bei Rot verboten) angebracht ist.

› **Auf- und Abfahrten** sind nach Meilen nummeriert und können sich auch links befinden.

› **Rechtsüberholen** ist bei mehreren Spuren erlaubt.

› **Alkohol:** Es gilt eine gesetzliche Grenze von 0,5 Promille. Alkoholische Getränke dürfen nur im Kofferraum transportiert werden. Verstöße (sogenanntes „DUI", „driving under the influence") werden streng geahndet.

› Eine Gallone (3,8 l) **Normalbenzin** *(unleaded regular)* kostet in New Orleans um die $ 1,80–2 (Stand: Frühjahr 2019). Aktuelle Preise finden sich unter www.neworleansgasprices.com.

› **Vorfahrtsregeln:** „Rechts vor links" existiert in den USA nicht, stattdessen gibt es Stoppschilder, die nach dem Prinzip „Wer zuerst kommt, fährt zuerst" funktionieren.

Barrierefreies Reisen

Die USA und auch New Orleans sind gute Reiseziele für Menschen mit Behinderung *(handicapped/disabled people)*. Behindertenparkplätze, Aufzüge und Fußwegabsenkungen sind üblich, ebenso Hotels oder Mietwagen mit entsprechenden Einrichtungen. Allgemeine Informationen erhält man bei:

› **SATH,** Society for Accessible Travel & Hospitality, Tel. 212 4477284, http://sath.org

Bezüglich der Nutzung des öffentlichen Nahverkehrs helfen weiter:
› www.norta.com/Accessibility/Overview
› www.neworleans.com/plan/transportation/handicap-accessible

Diplomatische Vertretungen

In Deutschland, Österreich und der Schweiz

Die US-Botschaften und -Konsulate im Heimatland sind in erster Linie für die Erteilung von Visa zuständig. Ein solches benötigt der „Normalreisende" allerdings nicht.

Es gibt **amerikanische Botschaften** in Berlin, Wien und Bern und **Generalkonsulate** in Düsseldorf, Frankfurt, Hamburg, Leipzig, München, Zürich und Genf. Details, Öffnungszeiten und Adressen finden sich unter:
› https://de.usembassy.gov/de
› https://at.usembassy.gov/de
› https://ch.usembassy.gov

In New Orleans

Im Notfall unterstützen die Konsulate vor Ort:
- **225** [di] **Deutsches Honorarkonsulat,** 1700 Moss St., Tel. 504 2658883,
- **226** [D8] **Österreichisches Honorarkonsulat,** 755 Magazine St., Tel. 504 5815141
› Für **Schweizer** ist das Generalkonsulat in Atlanta zuständig: **Generalkonsulat Atlanta,** 1349 W Peachtree St. NW, Atlanta, GA 30309, Tel. 404 8702011.

Ein- und Ausreisebestimmungen

Einreiseformalitäten

Dank des **Visa Waiver Program (VWP)** ist ein Visum für Staatsbürger von Deutschland, Österreich und der Schweiz bei einem Aufenthalt von max. 90 Tagen und Vorlage eines Rückflugtickets gegenwärtig nicht nötig. Man muss im Besitz eines **maschinenlesbaren Reisepasses** sein, der mindestens noch die gesamte Aufenthaltsdauer lang gültig ist. Auch **Kinder** müssen ein eigenes Reisedokument besitzen. Zudem wird verlangt, dass sich alle Bürger, auch Kinder, die ohne Visum einreisen, spätestens 72 Stunden vor Abflug online registrieren lassen (**Electronic System for Travel Authorization – ESTA**). Diese Registrierung kostet einmalig $ 14 und gilt zwei Jahre. Sie erfolgt normalerweise gleich bei Flugbuchung oder gegebenenfalls im Internet:
› https://de.usembassy.gov/de/visa/esta (deutsche Erläuterungen und Link zum Antrag)

Erfragt werden Name, Geburtsdatum, Adresse, Nationalität, Geschlecht, Passdetails, erstes Hotel, Zweck und Dauer der Reise etc.

Seit dem 1. November 2010 müssen Fluggesellschaften im Rahmen von **Secure Flight** außerdem mindestens 72 Stunden vor Abflug die maßgeblichen Passagierdaten vorliegen haben: voller Name gemäß Reisepass, Geburtsdatum und Geschlecht. Normalerweise werden diese Angaben bereits bei Flugbuchung gefordert. Eine vollständige erste Adresse in den USA (mit PLZ) muss beim Check-in vorgelegt werden.
› Infos: www.tsa.gov/travel/security-screening

Reisen Kinder nur mit einem Elternteil oder anderen Verwandten, kann sowohl bei der Ausreise als auch bei der Einreise eine **Einverständniserklärung der Eltern bzw. des anderen Elternteils** erforderlich sein. Detailin-

Ein- und Ausreisebestimmungen

fos erhält man beim Auswärtigen Amt und beim zuständigen Konsulat.

Wer länger als 90 Tage im Land bleiben möchte – zum Beispiel zum Studieren oder Arbeiten – oder Staatsbürger eines Landes ist, das nicht am VWP teilnimmt, muss sich ein **Visum** beschaffen. Ebenso nicht mehr visumsfrei einreisen dürfen Staatsangehörige aus VWP-Ländern, die seit dem 1.3.2011 in den Irak, den Sudan, nach Iran oder Syrien gereist sind oder zusätzlich die entsprechende Staatsangehörigkeit besitzen. Informationen dazu gibt es unter:
› www.cbp.gov/travel/
  international-visitors

Einreisekontrolle

Am Einreiseschalter *(immigration counter)* des ersten Flughafens in den USA wird der Pass gescannt und es werden Fragen zu Reiseroute, Zweck der Reise, Beruf, Bekannten oder Freunden in den USA und eventuell auch zum Reisebudget gestellt. Es werden **tintenlose Fingerabdrücke** genommen und es wird ein **Foto** gemacht, ehe es den Stempel mit einer auf normalerweise drei Monate festgelegten Aufenthaltsdauer gibt. An immer mehr Flughäfen gibt es außerdem **Automated Passport Control (APC)**. Besucher mit ESTA-Registrierung, die schon einmal mit ESTA und dem entsprechendem Reisepass eingereist sind, können diese Apparate benutzen und beschleunigen damit die Prozedur:
› www.cbp.gov/travel/us-citizens/apc

Infos zu den aktuellen Einreisebestimmungen finden sich unter www.cbp.gov/travel/interna tional-visitors (U.S. Customs & Border Protection).

Zoll

Im Flugzeug werden weiße Zollerklärungen *(customs forms)* verteilt, auf denen anzugeben ist, ob und welche Waren mitgeführt werden. Wer an ESTA teilgenommen hat und an einem Flughafen mit Automated Passport Control einreist, muss kein Formular ausfüllen. Eine **Devisenbeschränkung** gibt es nicht, lediglich Summen über $ 10.000 müssen deklariert werden.

Einfuhr USA
› 1 l **Alkohol** bzw. 200 **Zigaretten** oder 100 **Zigarren** (keine kubanischen)
› **Geschenke** im Wert bis $ 100
› **Verboten** ist die Einfuhr von tierischen und pflanzlichen Frischeprodukten/Lebensmitteln sowie von Samen und Pflanzen, außerdem Klappmesser u. a. gefährliche Objekte. Bei Medikamenten in größeren Mengen empfiehlt es sich, ein ärztliches Attest dabei zu haben, da die Einfuhr von Rauschmitteln untersagt ist.
› **Details zu den Zollbestimmungen** finden sich im Internet unter www.cbp.gov/travel/international-visitors.

Einfuhr Deutschland/Österreich/Schweiz
Bei der Rückreise nach Europa dürfen folgende Waren zum persönlichen Ge- oder Verbrauch eingeführt werden:
› **Tabakwaren** (über 17-Jährige in EU-Länder und CH): 200 Zigaretten oder 100 Zigarillos oder 50 Zigarren oder 250 g Tabak
› **Alkohol** (über 17-Jährige in EU-Länder): 1 l über 22 Vol.-% oder 2 l bis 22 Vol.-% und zusätzlich 2 l nicht-schäumende Weine; in die Schweiz: 2 l (bis 15 Vol.-%) und 1 l (über 15 Vol.-%)
› **Andere Waren** für den persönlichen Gebrauch (über 15-Jährige) im Wert

von bis zu 430 € bzw. CHF 300. Wird diese Summe überschritten, sind Einfuhrabgaben auf den Gesamtwert der Ware zu zahlen.

Details zu Einfuhrbestimmungen:
> **Deutschland:** www.zoll.de
> **Österreich:** www.bmf.gv.at
> **Schweiz:** www.ezv.admin.ch

Elektrizität

In den USA gibt es **Wechselstrom von 110 bis 115 V**, daher müssen aus Europa mitgebrachte Elektrogeräte wie Haartrockner oder Rasierapparat umstellbar sein. Wegen der anderen Steckdosenform ist außerdem ein **Adapter** nötig, den man am besten schon von zu Hause mitbringt bzw. in einem Flughafen- oder Elektrogeschäft kauft.

Geldfragen

Kreditkarten und Reiseschecks

Das Zauberwort in den USA heißt **credit card** (CC), wobei Mastercard und Visa die gebräuchlichsten sind. Selbst Kleinstbeträge werden mit Kreditkarte bezahlt und sie ist nötig, um Kaution (z. B. für den Mietwagen) zu stellen bzw. eine Buchung zu garantieren. Für das bargeldlose Zahlen werden rund 1 bis 2 % des Betrags für den Auslandseinsatz berechnet. Bargeld am Automaten (ATM/Automatic Teller Machine) zu ziehen, kostet eine Gebühr von ca. $ 2 bis $ 5, die vor Abschluss der Transaktion angezeigt wird. Immer häufiger wird bei Bezahlung mit Kreditkarte in Läden oder Restaurants (wie am Automaten) die Eingabe einer **PIN-Nummer** verlangt.

New Orleans preiswert

> *Mit dem **New Orleans Pass** kann man bei Eintritt, Touren usw. Geld sparen. Es gibt ihn für 1, 2, 3 und 5 Tage (ab $ 70, Infos: www.neworleanspass.com).*
> *Wer vorhat, häufig den **öffentlichen Nahverkehr** zu nutzen, für den lohnt sich der Kauf der günstigen Tages- oder Dreitageskarten (s. S. 129).*
> ***Gratiskonzerte** werden regelmäßig im New Orleans Jazz National Historical Park ⓵⓽, bei Jazz in the Park im Louis Armstrong Park ⓵⓪ oder im Lafayette Park (März-Ende Mai Mi., https://ylcnola.org/ylc-wednesday-at-the-square) geboten.*
> *Die Park Ranger des Jean Lafitte National Historical Park offerieren kostenlose **Touren** (s. S. 120)*
> *Im Internet gibt es **Rabattcoupons:** www.neworleans.com/plan/deals.*
> *Wer in den richtigen Läden einkauft, erhält über das **Louisiana Tax-Free Shopping Program** die entrichtete Mehrwertsteuer zurück (s. S. 77).*
> *Modische Schnäppchen macht man im **Riverwalk** (s. S. 77) oder im **Tanger Outlet Center** (s. S. 77).*

Wechselkurs
Stand: Frühjahr 2019
1 €	=	$ 1,13
$ 1	=	0,87 € bzw. 1 SFr
1 SFr	=	$ 0,990

Kreditkarten sind **versichert** und bei Verlust oder Diebstahl kann die Sperrung und der Ersatz von Karten veranlasst werden (Infos zur Kartensperrung s. S. 114).

Debitkarten (auch Girocard genannt) sind für den Einsatz im außereuropäischen Ausland manchmal gesperrt, oft ist der Verfügungsrahmen eingeschränkt. Während **Maestro-Karten** weltweit genutzt werden können, sind **VPAY-Karten** an Bankautomaten in den USA nutzlos, da die Automaten die Chips nicht lesen können.

Beim Abheben von Bargeld wird manchmal die Abrechnung in Euro angeboten (**Dynamic Currency Conversion**). Meist wird dabei ein ungünstiger Wechselkurs zugrundegelegt. Eine Abbuchung in Dollar ist vorzuziehen, da dann der offizielle Devisenkurs gilt.

Bargeld

Bargeld ist nur in wenigen Fällen – wie etwa für Automaten (hier v. a. Quarter-Münzen) – unbedingt nötig. Selbst in Supermärkten oder an Tankstellen kann man mit der Kreditkarte zahlen.

Die amerikanische Währungseinheit ist der **US-Dollar**: $ 1 (one „buck") besteht aus 100 Cent (c).
› **Münzen:** Penny (1 c), Nickel (5 c), Dime (10 c), Quarter (25 c)
› **Banknoten** gibt es im Wert von $ 1, 5, 10, 20, 50, 100, 500 und 1000.

Es ist kein Problem, in einer Filiale von American Express (zum Beispiel am Flughafen) oder Travelex bzw. in Banken **Euro in Dollar umzuwechseln**, allerdings ist der Kurs oft ungünstig und es fallen teils hohe Gebühren an.

Preise und Kosten

Die **Hotelkosten** in New Orleans belasten das Reisebudget am meisten, vor allem wenn es sich um Unterkünfte im French Quarter oder im CBD handelt. Dort ist unter $ 150 pro Doppelzimmer und Nacht kaum etwas zu bekommen. Was die **Verpflegung** betrifft, kommt man im Allgemeinen recht preiswert weg. In einem Mittelklasselokal sind zwar mindestens $ 30 für ein volles Essen zu rechnen, es gibt jedoch hinreichend Alternativen zu teuren Restaurants und vieles ist sogar preiswerter als in europäischen Großstädten.

Die **Eintrittspreise** sind der Qualität und Größe der Sehenswürdigkeiten angemessen und entsprechen europäischem Niveau. Bis auf die großen Attraktionen fallen meist nicht mehr als $ 10 an. Es gibt für Studenten und Senioren Ermäßigungen und gelegentlich zu bestimmten Zeiten in einigen Museen verbilligten oder freien Eintritt. Die Ticketpreise für den **öffentlichen Nahverkehr** sind moderat, der Tagespass kostet nur $ 3!

Informationsquellen

Informationsstellen zu Hause

› Fremdenverkehrsbüro New Orleans und Louisiana, c/o Wiechmann Tourism Service GmbH, Scheidswaldstr. 73, 60385 Frankfurt/Main, Tel. 069 255380, www.neworleans.de und www.louisianatravel.de

Infostellen in New Orleans

Touristeninformation
❶ 227 [em] **New Orleans & Company (NOCVB)**, 2020 St. Charles Ave., New Orleans, Tel. 001 800 6726124, www.

neworleans.com, www.visitneworleans.com. New Orleans & Company gibt Broschüren und sonstiges Infomaterial heraus, das teilweise auch online herunterladbar ist.

- ❶ 228 [F4] **NOCVB Visitor Center/ Louisiana Office of Tourism Welcome Center,** 529 St. Ann Street (Jackson Sq.), Tel. 001 504 5685661, tgl. 9 – 17 Uhr
- ❶ 229 [E5] **Jean Lafitte NHP – French Quarter Visitor Center,** 419 Decatur St., www.nps.gov/jela, Di. – Sa. 9 – 16.30 Uhr. Teil des Jean Lafitte National Historical Park (NHP) mit Ausstellung zur Stadtgeschichte und interessanten kostenlosen „Ranger Talks". Ein Shop mit Büchern und CDs gehört ebenfalls dazu. Anfahrt: Riverfront Streetcar („Toulouse St.") bzw. Bus 5 und 55 („Jackson Square").
- › **Basin Street Station** (s. S. 22). Infostelle mit Ausstellungen, einem Souvenirshop und Café am Louis Armstrong Park. Hier starten auch Touren, u. a. zum St. Louis Cemetery No. 1 ❾.

Veranstaltungs- und Kartenservice

Tickets für Theater, Konzerte, Veranstaltungen etc. (siehe auch S. 74) bucht man am besten möglichst **frühzeitig**, evtl. sogar schon von zu Hause über Reiseveranstalter oder online. Vor Ort erhält man Tickets direkt an den Aufführungsorten (z. B. Superdome, House of Blues etc.) oder bei Ticketmaster:
- › www.ticketmaster.com, Tel. 504 2800700 oder 1 800 6538000

New Orleans im Internet

- › www.neworleansonline.com – Website der Wirtschaftsgemeinschaft New Orleans Tourism Marketing Corporation (NOTMC), die mit NOMCVB kooperiert
- › www.neworleans.com – offizielle Website des städtischen Tourismusamtes New Orleans & Company, auch die deutsche Website ist hilfreich: www.neworleans.de
- › www.nola.com – informative Website der Tageszeitung The Times-Picayune mit News und Sport, Wetter und Verkehr, Sport sowie Anzeigen. Interessant sind die Unterpunkte „Entertainment & Living" und „Where NOLA Eats" mit Tipps zu Restaurants, Events, Musik etc.
- › www.theadvocate.com/gambit – Website des Besuchermagazins Gambit – Best of New Orleans, mit ausführlichen Rubriken zu Musik, Küche, Kino, Shopping u. a.
- › http://gonola.com – Tipps und aktuelle Hinweise zu Veranstaltungen, Essen und Trinken, Einkaufen u. a.
- › www.myneworleans.com – Website des New Orleans Magazine mit vielerlei Infos zu Hotels, Restaurants, Nightlife und zur Musikszene. Vorstellung von Stadtvierteln, Touren, Attraktionen und Events
- › www.experienceneworleans.com – Infos zu Hotels (auch Reservierung), Restaurants, Shopping, Touren, Events und zur Musikszene sowie Coupons zum Ausdrucken
- › www.wheretraveler.com/new-orleans – Tipps zu Nightlife, Unterkünften, Lokalen, Shopping, außerdem längere Beiträge

New-Orleans-Apps
- › **RTA GoMobile:** Auskünfte über Bus- und Streetcar-Linien, Karten und weitere hilfreiche Tipps (gratis für iOS und Android, www.norta.com/Getting-Around/NEW-GoMobile)
- › **NOLA.com:** App der Lokalzeitung Times-Picayune mit aktuellen Hinweisen, News und Tipps (gratis für iOS und Android, www.nola.com/mobile-device)
- › **The Historic New Orleans Collection:** Gratis-Web-App (https://hnoc.oncell.com/en/index.html) mit interessanten Hintergrundinfos und Illustrationen zu historischen Bauten und Ereignissen

Unsere Literaturtipps

> *Louis Armstrong* berichtet in „Mein Leben in New Orleans" (1977) über seine Kindheit in der Mississippi-Metropole.

> In „My New Orleans: The Cookbook – 200 of my Favorite Recipes & Stories from my Hometown" (2009) gibt *John Besh* eine unterhaltsame Einführung in die lokale Küche.

> *Douglas Brinkley*, Geschichtsprofessor der lokalen Tulane University, hat mit „The Great Deluge" (2006) ein äußerst lesenswertes und informatives Buch über die Katastrophe nach dem Hurricane 2005 veröffentlicht.

> *James Lee Burkes* Serie mit dem Polizisten Dave Robicheaux spielt im Cajun Country (New Iberia) und teilweise auch in New Orleans – u. a. „The Neon Rain" (1986), „Dixie City Jam" (1994), „Sunset Limited" (1998), „Last Car to Elysian Fields" (2003), „Crusaders's Cross" (2005), „The Tin Roof Blowdown" (2007, verarbeitet die Ereignisse von Hurricane Kathrina), „The Glass Rainbow" (2010), „Creole Belle" (2012), „Light of the World" (2013) oder „Robicheaux" (2018).

> *Rick Coleman* schrieb mit „Blue Monday. Fats Domino and the Lost Dawn of Rock 'n' Roll" (2006) die erste Biografie über den legendären Musiker, der während Hurricane Katrina 2005 nur sein nacktes Leben retten konnte.

> In „Zeitoun" (2009) beschreibt *Dave Eggers* eindrucksvoll das Schicksal der Familie von Abdulrahman Zeitoun während und nach dem Hurricane 2005.

> Chefkoch *John D. Folse* verfasste mit „The Encyclopedia of Cajun & Creole Cuisine" (2004) ein Kompendium zur Küche der Region.

> *Frances Parkinson Keyes* verbrachte viele Jahre in New Orleans. Ihr Wohnhaus **16**, in dem u. a. „Dinner at Antoine's" (1946) und „Madame Castel's Lodger" entstanden sind, ist heute zu besichtigen.

> *Scott Cowen*, „The Inevitable City: The Resurgence of New Orleans and the Future of Urban America" (2014). Was ist nach Hurricane Katrina geschehen? Welche Initiativen und Energien wirk(t)en, um eine neue Stadt entstehen zu lassen?

> Der Musikjournalist *Tom Piazza* schildert in „Why New Orleans Matters" (2005) mit Leidenschaft die Besonderheiten der Stadt und ihrer

Publikationen und Medien

Einfache **Stadtpläne** gibt es bei den Touristeninformationsstellen (s. S. 108) und aktuelle **Straßenkarten** bei AAA (s. S. 104). Dazu kann man sich ggf. einen kostenlosen Nahverkehrsplan besorgen, z. B. unter www.norta.com/Maps-Schedules/System-Map.aspx oder in der Touristeninformation.

Zeitungen und Stadtmagazine

Die maßgebliche, dreimal wöchentlich (Mi./Fr./So.) erscheinende **Tageszeitung** ist die katholisch-liberale **Times-Picayune** (gesprochen „pikijuun") mit der Freitagsbeilage „Lagniappe" (Veranstaltungen etc., www.nola.com). Seit 2013 erscheint mit dem **New Orleans Advocate** – einem Ableger der Hauptstadtzeitung – eine zweite Tageszei-

Menschen und persönliche Eindrücke nach der Katastrophe 2005.
> *Lawrence N. Powells „The Accidental City: Improvising New Orleans" (2013). Das Buch handelt von New Orleans legendärem Talent zur Improvisation.*
> *Julie Smiths Krimis liefern packende Gesellschaftsschilderungen der Stadt, z. B. „New Orleans Mourning" (1990), „Jazz Funeral" (1993), „Louisiana Lament" (2004) oder „P. I. On A Hot Tin Roof" (2005).*
> *Eine treffende Satire über die modernen Südstaaten und New Orleans bietet **John Kennedy Tooles** Roman „A Confederacy of Dunces" (1980).*
> ***Mark Twains** „Life on Mississippi" (1882) schildert das Leben der Menschen auf dem und am Fluss.*
> ***Spike Lees** Dokumentarfilme über New Orleans sind absolut sehenswert: „When the Levees Broke: A Requiem in Four Acts" ist eine eindrucksvolle vierstündige Doku über die Ereignisse nach Katrina, „If God Is Willing and da Creek Don't Rise" beschäftigt sich mit der „wiederauferstandenen" Stadt.*
> *Ebenfalls sehenswert ist die **TV-Serie „Treme"**, die über vier Staffeln (2010-2013) im Post-Katrina nach Katrina spielt.*

tung (www.theadvocate.com/new_orleans) in New Orleans.

Die **New Orleans Tribune** (www.theneworleanstribune.com), 1864 als erste „schwarze" Zeitung in den USA gegründet, erscheint monatlich, **Louisiana Weekly** (www.louisianaweekly.com) – ebenfalls mit afroamerikanischer Orientierung – wöchentlich.

In Hotels, Cafés oder Infostellen liegen außerdem kostenlose **Stadtmagazine** wie Travelhost (erscheint zweimal jährlich) oder WHERE (monatlich, auch www.wheretraveler.com/new-orleans) aus.

Empfehlenswerte Magazine zu speziellen Aspekten sind:
> **Gambit** (www.theadvocate.com/gambit) – wöchentlich erscheinendes Stadtmagazin (gratis), das über Politik und Lokales, Restaurants, Events, Musik und anderes informiert
> **Off Beat** (www.offbeat.com) – empfehlenswertes Musikmagazin (monatlich, gratis im Großraum New Orleans) zur lokalen Szene (Konzerte, Veranstaltungen, Nightlife, Bands, Hotspots)
> **Where Y'at** (www.whereyat.com) – kostenloses Monatsmagazin, v. a. zu Bars und Kneipen, Musik und Events
> **JAZZIZ Magazine** – Musikmagazin, das monatlich im Internet, vierteljährlich als Sonder-Printausgabe erscheint (www.jazziz.com). Schwerpunkt ist die Jazzszene.

Internet

Internetnutzung per Laptop oder Smartphone stellt dank **WLAN-Hotspots** in New Orleans kein Problem dar. Beispielsweise im City Park ㉝ oder auf dem Jackson Square, in der Public Library (219 Loyola Ave.), aber auch in vielen Restaurants, Cafés und Klubs gibt es kostenloses Internet.

Listen von Einrichtungen, Lokalen und Hotels findet sich unter:
> https://wifispc.com/united-states/louisiana/new-orleans.html
> www.wififreespot.com/la.php

In **Hotels** ist Internetzugang in der Lobby und im Zimmer nicht immer kostenlos.

Maße und Gewichte

Längen

1 inch (in)	2,54 cm
1 foot (ft)	30,48 cm
1 yard (yd) (= 3 feet)	0,91 m
1 mile (= 1760 yards)	1,61 km

Flächen

1 square inch	6,45 cm²
1 square feet	929 cm²
1 square yard	0,84 m²
1 acre	4046,80 m²
	(0,405 ha)
1 square mile (= 640 acres)	2,59 km²

Hohlmaße

1 pint	0,47 l
1 quart (= 2 pints)	0,95 l
1 gallon (= 4 quarts)	3,79 l

Gewichte

1 ounce (oz)	28,35 g
1 pound (= 16 ounces)	453,59 g

Temperaturen

32 Grad F	0 Grad C
50 Grad F	10 Grad C
60 Grad F	15 Grad C
70 Grad F	21 Grad C
80 Grad F	27 Grad C

Konfektionsgrößen

Herren
Deutsche Bekleidungsgrößen (z. B. 50) minus 10 ergibt amerikanische Größe (40)

› **Herrenhemden**

D	36	37	38	39	40/41	42	43
USA	14	14,5	15	15,5	16	16,5	17

› **Herrenschuhe**

D	39	40	41	42	43	44	45
USA	6,5	7/7,5	8	8,5/9	9,5	10/10,5	11/11,5

Damen

D	36	38	40	42	44	46
USA	6	8	10	12	14	16

› **Damenschuhe**

D	36	37	38	39	40	41	42
USA	6	6,5/7	7,5/8	8,5	9	9,5	10

Kinder

D	98	104	110	116	122
USA	3	4	5	6	6x

› **Kinderschuhe**

D	23	24	25	26	27	28	29	30	31	32	33
USA	6,5	7,5	8,5	9,5	10,5	11,5	12,5	13	1	1,5/2	2,5

Medizinische Versorgung

Besonderen Risiken sind Reisende in New Orleans nicht ausgesetzt. Spezielle Impfungen sind nicht nötig und das **Leitungswasser** kann unbesorgt getrunken werden.

Erkältungen aufgrund der üblichen **Vollklimatisierung** von Räumen, Läden etc. kann man durch entsprechende Kleidung (Jacke, Pullover, Halstuch) vorbeugen.

Hygiene wird in den USA großgeschrieben und WCs sind normalerweise sehr sauber.

Den hohen Arzt-, Medikamente- und Krankenhauskosten in den USA steht ein **hoch entwickeltes medizinisches System** gegenüber. Eine schnelle und gründliche Behandlung ist gesichert, vorausgesetzt, man kann die eigene **Zahlungsfähigkeit** (zum Beispiel durch Vorlage einer Kreditkarte) nachweisen.

Bei Praxisbesuchen ist im Allgemeinen sofort zu bezahlen. Gesetzliche Krankenkassen übernehmen die Kosten nicht, deswegen ist der Abschluss einer **Reisekrankenversicherung** (s. S. 130) empfehlenswert.

Krankenhäuser und Arztpraxen

Hausbesuche sind in den USA unüblich. Im **Notfall** sucht man eine Arztpraxis (Adressen erfährt man im Hotel) auf, fährt zu einer Notaufnahme *(emergency room)* oder ruft einen Krankenwagen (Tel. 911). Zentrumsnah liegen folgende medizinische Zentren bzw. Kliniken:

➜ **230** [D8] **Ochsner Urgent Care**, 900 Magazine St., Tel. 504 5522433, Mo.-Fr. 9-19, Sa./So. 9-17 Uhr. Ärztekomplex im Warehouse District.

➜ **231** [E5] **Ochsner Urgent Care - French Quarter**, 201 Decatur St., Tel. 504 6093833, Mo.-Sa. 9-17.30 Uhr

➜ **232** [C6] **CBD Dental Care**, 316 Baronne St., Tel. 504 5259990, Mo.-Fr. 9-17 Uhr, Sa. nach Anmeldung

➜ **233** [an] **Children's Hospital of New Orleans**, 200 Henry Clay Ave, Tel. 504 8999511

➜ **234** [B5] **Tulane Medical Center**, 1415 Tulane Ave., Tel. 504 9885263 oder 1 800 5885800

Apotheken

Pharmacies (Apotheken) sind selten, dafür gibt es in jedem Supermarkt und *drugstore* ein Grundsortiment (größer und preiswerter als in Deutschland) an freiverkäuflichen Arzneimitteln. In *drugstores* kann man an speziellen Schaltern auch ärztliche Verordnungen *(prescriptions)* für rezeptpflichtige Medikamente einlösen.

In New Orleans verbreitet sind CVS Pharmacy, Rite Aid, Kmart und Walgreen's, z. B. bei folgenden zentralen Adressen:

➜ **235** [D5] **Walgreen's (1)**, 134 Royal St.
➜ **236** [C5] **Walgreen's (2)**, 900 Canal St.

Mit Kindern unterwegs

New Orleans wurde schon mehrfach unter die **Top US Family Destinations** gewählt. Kids kommen in den Genuss von vielerlei Vergünstigungen, so z. B. in öffentlichen Verkehrsmitteln. In Hotels übernachten Kids oft kostenlos im Zimmer ihrer Eltern, Restaurants bieten vielfach Kindermenüs und -sitze und in Museen gelten Sondertarife.

New Orleans & Company (s. S. 108) hat für Familien mit Kindern Tipps zu-

sammengestellt, die man unter **www.neworleans.com/things-to-do/family** findet. Interessant sind beispielsweise Besuche im Louisiana Children's Museum (s. S. 57), im Audubon Zoo (s. S. 56) bzw. im Aquarium (mit IMAX Theater, s. S. 56) oder im Insectarium (s. S. 56).

Im **City Park** 33 gibt es den Carousel Gardens Amusement Park & Storyland. Puppen und Puppenhäuser sowie vielerlei Spielzeug sind im **The House of Broel** (s. S. 58) zu sehen und gigantische Karnevalswagen, Masken und Kostüme bei **Blaine Kern's Mardi Gras World** 28.

Bei schönem Wetter bietet sich eine Fahrt mit einer **Pferdekutsche** (s. S. 121), eine **Geistertour** (s. S. 121) oder eine **Schifffahrt** auf dem Mississippi (s. S. 122) an. Zum Essen wäre z. B. das **Café du Monde** (s. S. 68) mit seinen Beignets ebenso geeignet wie der **Soda Shop im National WWII Museum** 23. Bootsy's Funrock'n (s. S. 78) hat interessantes Spielzeug zu bieten, bei Carter's Kids in The Outlet Collection at Riverwalk (s. S. 77) gibt es zusätzlich Kleidung.

△ *In Blaine Kern's Mardi Gras World* 28 *geht es mitunter gruselig zu*

Notfälle

Polizeireviere gibt es in jedem Stadtviertel (http://911nola.org). Bei Diebstahl (z. B. Reisepass, Kreditkarte) oder sonstigen Verbrechen ist dort **Anzeige** zu erstatten. Handelt es sich um einen Notfall, wählt man die Nummner 911, sonst 504 8212222.

Für die Ausstellung eines Ersatzreiseauswieses ist die diplomatische Auslandsvertretung (s. S. 105) zuständig. Auch in anderen Notfällen, z. B. medizinischer oder rechtlicher Art, bemüht man sich dort, vermittelnd zu helfen.

➤ 237 [D5] New Orleans Police Department (1), 334 Royal St.
➤ 238 [D3] New Orleans Police Department (2), 501 N Rampart St.

Kartensperrung

Bei **Verlust der Debit-/Giro-, Kredit-** oder **SIM-Karte** gibt es für Kartensperrungen eine **deutsche Zentralnummer** (unbedingt vor der Reise klären, ob die eigene Bank bzw. der jeweilige Mobilfunkanbieter diesem Notrufsystem angeschlossen ist). **Aber Achtung:** Mit der telefonischen Sperrung sind die Bezahlkarten zwar für die Bezahlung/Geldabhebung mit der PIN gesperrt, nicht jedoch für das **Lastschriftverfahren mit Unterschrift**. Man sollte daher auf jeden Fall den Verlust zusätzlich **bei der Polizei zur Anzeige bringen**, um gegebenenfalls

Öffnungszeiten

> **EXTRAINFO**
>
> **Im Notfall**
> Den **zentralen Notruf** (Polizei, Krankenwagen und Feuerwehr, kostenlos) erreicht man unter Tel. **911**.
> Sofern es sich um keinen akuten Notfall handelt, wählt man:
> › **Feuer:** Tel. 504 6584700
> › **Polizei:** Tel. 504 8212222
>
> Man sollte unbedingt vor Reiseantritt für alle Karten, Schecks und Versicherungen die **Notfalltelefon- sowie Karten- und Policennummern notieren** bzw. **kopieren!**

In den USA gibt es kein verbindliches Ladenschlussgesetz. **Geschäfte** haben je nach Art und Größe von 9/10 bis mind. 18 Uhr, sonntags nur teilweise (in touristischen Zentren) und wenn, dann nachmittags geöffnet.
› **Kaufhäuser/Malls:**
  10–19/20 Uhr,
  So. meist 11/12–17 Uhr
› **Restaurants:** ca. 12–14/15 und
  18–22 Uhr warmes Essen
› **Bürozeiten:** Mo.–Fr. 9–17 Uhr
› **Banken:** Mo.–Fr. 10–14/15 Uhr
› **Postämter:** Mo.–Fr. 8/9–17, Sa. bis
  13/14 Uhr
› **Museen und Sehenswürdigkeiten** besucht man am sichersten Di. bis So. von 10 bis 17 Uhr.

auftretende Ansprüche zurückweisen zu können.

In **Österreich** und der **Schweiz** gibt es keine zentrale Sperrnummer, daher sollten sich Besitzer von in diesen Ländern ausgestellten Debit- oder Kreditkarten vor der Abreise bei ihrem Kreditinstitut über den zuständigen Sperrnotruf informieren.

Generell sollte man sich immer die **wichtigsten Daten** wie Kartennummer und Ausstellungsdatum **separat notieren**, da diese unter Umständen abgefragt werden.
› **Deutscher Sperrnotruf:** Tel. 011 49 116116 oder Tel. 011 49 3040504050
› **Weitere Infos:** www.kartensicherheit.de, www.sperr-notruf.de

Fundbüros

Es gibt kein zentrales städtisches Fundbüro. Am Flughafen befindet sich die Fundstelle auf dem *Upper Level* im West Terminal nahe dem Continental Ticketschalter (Mo.–Fr. 8–16 Uhr, Tel. 504 4642671). Bei verlorenen Gegenständen in öffentlichen Verkehrsmitteln (RTA) hilft das Fundamt weiter:
› 2817 Canal St., Tel. 504 8278399

Post

Briefkästen sind blau-rot und mit der Aufschrift „US-MAIL" und einem Adler gekennzeichnet. Die Post braucht im Allgemeinen 5 bis 7 Tage, Express Mail und Priority Mail sind schnellere, aber teurere Versandmöglichkeiten.

Größere Sendungen schickt man per **parcel service** (z. B. UPS, FedEx, DHL).

Die **Portogebühren** (Stand: 2019) nach Deutschland, Österreich und in die Schweiz betragen für Karten und Standardbriefe bis 1 oz (28 g) $ 1,15 (jedes weitere oz: 98 c.).

Für **Inlandspost** (First Class) gilt: Briefe bis 1 oz (28 g) kosten 50 c., Karten 35 c.

Zentral gelegen sind z. B. folgende Postämter:
✉ **239** [B7] **US Post Office (1)**,
  701 Loyola Ave., nahe Union Station
✉ **240** [D7] **US Post Office (2)**,
  600 S Maestri Pl./St. Charles Ave.

Infos für LGBT+

In New Orleans ist auch eine große LGBT-Gemeinde zu Hause. Sie konzentriert sich v. a. auf das French Quarter (St. Ann St.), daneben sind Marigny und Bywater beliebt. Anlaufpunkte und Treffs sind:

- **241** *[G2] Frenchmen Art & Books,* 600 Frenchmen/Chartres St. Bücher, CDs, Poster, Karten, Geschenkartikel usw., dazu Veranstaltungen und Anlaufpunkt für die LGBT-Szene.
- **242** *[ck] LGBT Community Center of New Orleans,* 2727 S Broad Ave., http://lgbtccneworleans.org. Treff, verschiedene Services und Events.

Klubs und Bars

- **243** *[E3] Bourbon Pub,* 801 Bourbon St., www.bourbonpub.com, Tel. 504 5292107, tgl. 10-3 Uhr. Danceclub mit mehreren Bars, v. a. Männerpublikum.
- **244** *[E3] Café Lafitte in Exile,* 901 Bourbon St., Tel. 504 5228397, www.lafittes.com. Älteste Gay Bar in Nordamerika, Tennessee Williams war hier Dauergast. Tanzfläche und Bar, Billiard und Balkon, der besonders zu Mardi Gras beliebt ist. 24 Std. geöffnet.
- **245** *[E3] Good Friends Bar,* 740 Dauphine St., www.goodfriendsbar.com. Rund um die Uhr geöffnete nette Bar.
- **246** *[E3] Oz,* 800 Bourbon St., Tel. 504 5939491, www.ozneworleans.com. Gay Night Club No. 1 in New Orleans (Männerpublikum). Bar, Disco, hochkarätige DJs (v. a. House). Sehen und Gesehenwerden sowie Laserlightshow.

Veranstaltungen

- Die größte LGBT-Veranstaltung der Stadt heißt **Southern Decadence** (www.southerndecadence.net) und findet vom Donnerstag vor Labor Day bis Labor Day (1. Mo. im Sept.) statt. Großteils handelt es sich um ein Straßenfest im French Quarter.
- In der ersten Junihälfte wird das **New Orleans Pride Festival Weekend** (https://togetherwenola.com/pride) von der LGBT-Gemeinde hochgehalten.
- **Grrlspot:** Lesben erobern die Stadt und belagern wechselnde Klubs. Infos: http://grrlspot.com.

LGBT-Hotels

Im Internet findet man unter www.gayneworleans.com/lodgingn.htm zahlreiche Hotels, die sich speziell an die LGBT-Gemeinde wenden, zum Beispiel:

- **247** *[G1] Aaron Ingram Haus,* 1012 Elysian Fields, Tel. 504 9493110, www.ingramhaus.com. Günstige Alternative zu teuren Hotels, mit Suiten um einen Innenhof.
- **248** *[f] Burgundy Bed and Breakfast,* 2513 Burgundy St., Tel. 504 2619477, http://theburgundy.com. Ein historisches Haus, das von Schwulen als Bed and Breakfast betrieben wird. Vier Zimmer, Innenhof und Whirlpool. Nähe zu French Quarter und zahlreichen LGBT-Bars/-Klubs.

Szene im Internet

- www.gayneworleans.com
- http://neworleans.gaycities.com
- www.neworleans.com/things-to-do/lgbt
- www.gayprideneworleans.com
- https://togetherwenola.com

Sicherheit

New Orleans genießt bei Amerikanern in Sachen Sicherheit noch immer **keinen allzu guten Ruf.** Das hat jedoch nur begrenzt Berechtigung und durch das aufgestockte Polizeiaufgebot sind das French Quarter und v. a. die Bourbon Street die bestkontrollierten Areale der Stadt, hier patrouillieren NOPD-Officer auch auf Segways und sogar zu Pferd.

Vorsicht ist wie in jeder Großstadt geboten und *street crimes* wie Taschendiebstähle etc. kommen auch in New Orleans vor und besonders bei Massenevents (Karneval, Festivals etc.) und Menschenaufläufen, in öffentlichen Verkehrsmitteln oder während Veranstaltungen treiben **Langfinger** ihr Unwesen.

Man ist gut beraten, die **üblichen Vorsichtsmaßnahmen** zu beherzigen: zum Beispiel das Portemonnaie oder Handy nicht lose in der Hosentasche haben und die Handtasche oder den Fotoapparat nicht locker über der Schulter tragen. Bargeld sollte man nur in kleineren Mengen mit sich führen und es ist empfehlenswert, wichtige Dokumente und teuren Schmuck im Hotelsafe aufzubewahren.

Einsame Viertel und Straßen – vor allem außerhalb der touristischen Zentren – sollte man v. a. bei Dunkelheit und wenn man solo unterwegs ist meiden, ebenso sind **Friedhofsbesuche** allein nicht unbedingt empfehlenswert. Es ist ratsam (auch im French Quarter), in belebten, hell beleuchteten Arealen zu bleiben – am besten nüchtern und aufmerksam.

Bettelnde **Obdachlose** auf den Straßen sind verbreitet, mehrheitlich jedoch harmlos.

Polizeipatrouillen mit Motorrad oder zu Pferd machen das French Quarter sicher

Sport und Erholung

Aktivsport

Louisiana gilt als „Sportsmen's Paradise" und Bootsfahrten, Fischen und Jagen, Wandern und Radfahren, Golf und Tennis werden hier großgeschrieben. Zentren für Freizeitsport in New Orleans sind die beiden großen Parks der Stadt:

S249 [am] **Audubon Park,** tgl. 5–22 Uhr, Riverview (Parkteil zum Mississippi hin) 5–21 Uhr, https://audubonnatureinstitute.org/audubon-park. Das gut 160 ha große Areal zwischen St. Charles Ave. und Mississippi, nahe der Tulane University, hat außer einem weltberühmten Zoo auch einen Golfplatz, Jogging- und Fahrradwege, Tennisplätze sowie einen Reitstall zu bieten. Dazu gibt es noch einen Swimmingpool, Kinderspielplätze und das Audubon Clubhouse Café (Zugang: Magazine St. gegenüber Zoo).

33 [ci] **City Park.** Auf gut 610 ha (durchsetzt von Wasserflächen) gibt es hier Rad- und Bootsverleih, Golf- und Tennisplätze, Reitställe, ein Karussell (Carousel Gardens Amusement Park) und nicht zuletzt den Botanischen Garten sowie das Museum of Art, http://neworleanscitypark.com.

Anfang Februar findet der **Color Vibe 5k**, ein 5-km-Volkslauf, statt (www.thecolorvibe.com/neworleans.php). **Fahrräder** können gemietet werden bei:

› **Blue Bikes NOLA,** www.bluebikesnola.com. Stationen überall in der Stadt, einmalige Gebühr $ 5, dann 10 Cent/Min. Registrierung über die App oder online.

› **Weitere Infos** zum Fahrradfahren in NOLA: www.neworleans.com/plan/transportation/bike-new-orleans

Zuschauersport

Lieblinge der Stadt sind die **Footballer**, die **Saints** (siehe www.neworleanssaints.com), eines von 30 NFL-Teams. Sie spielen von September bis Dezember im **Superdome**. **College Football**, wenn auch nicht der Spitzenklasse, bietet die Tulane University (www.tulanegreenwave.com, Sept.–Nov.). Zu den College-Topteams im Football, aber auch im **Baseball**, gehören die **Louisiana State Tigers** (**LSU**) in Baton Rouge (siehe www.lsusports.net). Ein Spiel dort zu erleben – egal ob Baseball oder College Football – ist ein unvergessliches Erlebnis.

Im **Baseball** bieten die Minor Leagues Ersatz dafür, dass es in New Orleans kein Profiteam Major League Baseball gibt. Die **Baby Cakes** aus der AAA-Liga, der besten Aufbauliga der MLB, spielen im **Shrine on Airline** (6000 Airline Hwy., Metairie, www.milb.com/new-orleans), das bis zu 10.000 Plätze bietet.

Die **Profi-Basketballmannschaft** der NBA, sind die **New Orleans Pelicans**

◁ *College-Football-Hochburg Baton Rouge* **39**, *Heimat der LSU Tigers*

Southern Drawl

„Hi y'all" („ha-yol") - „Hallo alle zusammen!" Die Sprache der Südstaatler hat mit gewöhnlichem Englisch wenig zu tun. Schon Mark Twain meinte „a Southerner talks music" und mokierte sich über das gestelzte Englisch der Yankees. Der Südstaatler kultiviert bewusst eine **breite, gedehnte Sprechweise**, den „Southern Drawl", liebt das Geschichtenerzählen, Klatsch und Tratsch. Man vertreibt sich die Zeit auf der Terrasse bei Eistee, „sitting a spell on the front porch".

Theoretisch lassen sich die sprachlichen Besonderheiten zwar gut zusammenfassen, was die Verständlichkeit aber nicht besser macht. Da wären zunächst **Verkürzungen** wie „y'all" („you all"), „ol'" („old"), „sorter" („sort of"), „'bout" („about"), „lill" („little"), „less" („let us") oder **doppelte Modalkonstruktion** wie „I may can do that". „**Done**" ist ein beliebtes Wort zur **Betonung eines Umstandes** („I really done saw that"), und **Verben in der Verlaufsform** wird oft ein „a" vorangestellt, dafür entfällt gerne das „End-G" („awaitin'" statt „waiting").

Phonetisch wird es fast noch komplizierter: Dass das „r" nach Vokalen fehlt (z. B. „dahlin'" für „darling", „popla" für „popular") und Vokale gedehnt werden, ist noch eher zu verkraften als die Tatsache, dass manche Vokale ganz anders ausgesprochen werden, z. B. „a" wie „i" oder „ee" wie „a". „Think" klingt dann wie „dank" und „just" wie „jest". Andererseits wird aus „that" ein „dat", aus „and" ein „en" und aus „would" ein „du".

Allein der unübersetzbare Schlachtruf der Football-Fans in New Orleans „Who Dat!" (s. S. 37) macht deutlich, dass hier ein besonderer, **lokaler Dialekt** gesprochen wird. Dabei vermischt sich der Southern Drawl mit **französischen, karibischen und spanischen Besonderheiten.** Experten vergleichen den Stadtdialekt mit dem des New Yorker Boroughs Brooklyn, wo z. B. aus dem „sink" (Waschbecken) ein „zink", aus „ask" (fragen) „ax" und aus „oil" (Öl) „erl" wird.

„Making groceries" bedeutet, dass man einkaufen geht, und das Wort „Yat" verkürzt in New Orleans die Frage „Where y'at?" („How are you?"). Am 1. November feiert man andererseits „la toussaint" (Allerheiligen), es gibt „beignets" und „café au lait", „banquettes" (Fußwege) und „lagniappes" (Zugaben).

(www.nba.com/pelicans). Sie spielen im **Smoothie King Center** (17.200 Plätze) gleich neben dem Superdome. **College Basketball** bieten die Teams der New Orleans University (https://unoprivateers.com) und der Tulane University (https://tulanegreenwave.com). **Motorsport** (u. a. Indy Grand Prix of Louisiana) gibt es im NOLA Motorsports Park, der Motorrennbahn in Avondale, 20 Min. außerhalb von New Orleans (https://nolamotor.com).

Sprache

Ganz ohne **Englisch** kommt man in New Orleans nicht aus, etwas Französisch kann ebenfalls nicht schaden, wenn auch das **Cajun French** mit dem Schulfranzösisch nicht viel gemeinsam hat. Small talk ist in der Regel auch mit kleinem Wortschatz möglich.

Das **Amerikanische** weicht zum Teil vom **Schulenglisch** ab, es gibt Unterschiede bezüglich Wortschatz, Grammatik und Aussprache. Gewisse **Universalfloskeln** gehören zum guten Ton, z. B. „How are you (today)?" Diese Frage nach dem Befinden ist aber vor allem auch eine Begrüßungsformel. „Have a nice day/trip" dient der Verabschiedung, ebenso wie „It was a pleasure meeting you" oder „See you". Letzteres ist selten als Einladung gemeint, sondern vielmehr ein legerer Abschiedsgruß.

In die Feinheiten des Amerikanischen führen die **Sprechführer** der Kauderwelsch-Reihe ein. Zum Einstieg hilft auch die „Kleine Sprachhilfe Amerikanisch" im Anhang dieses Buches (s. S. 132).

Stadttouren

Kommerzielle Tourveranstalter wie **Gray Line** (www.graylineneworleans.com) bieten verschiedene Touren, großteils in Bussen und Booten, darunter eine Hurricane Katrina Tour, Swamp, Plantation, Ghost Tours u. a. Führungen. Am lohnendsten sind meist Walking Tours (zu Fuß, meist zweistündig, um die $ 25) und – je nach Geschmack – Spezialtouren wie Geister-, Vampir- oder Friedhofstouren. Eine vorherige Anmeldung ist in den meisten Fällen nötig.

Eine Vielzahl von **Touren** kann bei Tourbüros oder an Infoständen, z. B. bei **Big Easy Tours** (www.bigeasytours.us, Decatur/Dumaine St.), gebucht werden. Ein gemischtes Tourspektrum bieten die folgenden Dienstleister an:

> **Tours by Isabelle,** Tel. 504 3980365, https://toursbyisabelle.com. Verschiedene Touren in Kleinbussen (inkl. Hotelabholung). Interessant sind Spaziergänge durch die Stadt, außerdem gibt es Airboat und Swamp Tours sowie Plantagentouren und Kombinationen.

> **Historic New Orleans Tours,** Tel. 504 9472120, www.tourneworleans.com. Verschiedene zweistündige Walkingtouren ($ 25), darunter Voodoo-, Hurricane- und Jazztouren, sowie Fahrten in die Sümpfe und zu Plantagen.

Walking Tours

> **Friends of the Cabildo Walking Tours,** Tel. 504 5249118, www.friendsofthecabildo.org, ab 1850 House Museum Store/523 St. Ann Street, nahe Jackson Sq., tgl. 10.30/13.30 Uhr, $ 22, zweistündige Führungen durch das Vieux Carré (ohne Reservierung!)

> **Free Tours by Foot:** Auf https://freetoursbyfoot.com/new-orleans-tours werden verschiedene Touren von Stadtspaziergängen über Cocktail-, Voodoo- bis hin zu Plantation- und Friedhofstouren angeboten, gegen Trinkgeld, Anmeldung erforderlich.

> **New Orleans Legendary Walking Tours,** Tel. 504 5030199, www.neworleanslegendarywalkingtours.com. Familienbetrieb, der unterhaltsame und informative Spaziergänge anbietet.

> **Ask Arthur Tours,** Tel. 504 2513330, www.askarthurtours.com. Arthur, ein ehemaliger Mitarbeiter des Louisiana State Museum, bietet zum Beispiel die unterhaltsamen Spaziergänge „Vieux Carré Mornings", „Bards & Barflies of Bohemia" oder „Marigny Happy Hour" an.

> **GL-f de Villiers Tours,** Tel. 225 8197535, www.glfdevilliers.com. Von Glenn DeVillier geführte Touren mit historisch-literarischem Hintergrund, z. B. „French Quarter Literary History Tour" oder „Sacred Grounds: The World That Made New Orleans".

Mit der Pferdekutsche durchs French Quarter – nur eine von vielen möglichen Touren

Spezialtouren

› **Confederacy of Cruisers,** Tel. 504 4005468, http://confederacyofcruisers.com. Interessante Fahrradtouren, z. B. Our Original Creole New Orleans Bicycle Tours oder Cocktails in New Orleans Bike Tour (3 Std. inkl. Drinks) und Culinary Bike Tour. Außerdem gibt es eine interessante Tour ins Lower Ninth Ward. Dieses einst lebendige Wohnviertel wurde von Hurricane Katrina am schlimmsten zerstört. Während der Tour sieht man, was seither geschehen ist, und erhält Infos über Zukunftspläne.

› **FreeWheelin' Bike Tours,** 318 N Rampart St., Tel. 504 5224368, https://neworleansbiketour.com. Familienunternehmen, das speziell für NOLA designte Räder einsetzt. Jede Tour ist ein Erlebnis!

› **Haunted History Tours,** Tel. 504 8612727, www.hauntedhistorytours.com, 2 Std. Interessante Garden District Tour, aber v. a. Spezialtouren wie Geister-, Voodoo-, Vampir- und Friedhofstouren. Bekannt für The Original Ghost and Vampire Tour (www.neworleansghosttour.com)

› **Le Monde Creole,** Tel. 504 5681801, www.mondecreole.com, tgl. 10.30 Uhr, $ 28, ab 622 Royal St., mit „Forever-New-Orleans"-Shop. Zweistündige French Quarter Courtyards & Cemetery Tour mit „Laura Locoul" (1861–1963), einer Creolen-Lady.

› **New Orleans Culinary History Tours,** www.noculinarytours.com, Tel. 504 4279595. Auf kulinarischen Spuren durch das French Quarter inkl. Blick in Restaurants, darunter Antoine's (1840) und Tujague's (1856). Hinterher weiß man über Creole und Cajun Cooking Bescheid (3 Std., $ 55). Auch „Classic Drinks Tour" und tgl. Kochvorführungen („New Orleans Culinary Experience").

› **Royal Carriages,** Tel. 504 9438820, www.neworleanscarriages.com. Pferdekutschtouren tgl. 8.30–24 Uhr an der flusszugewandten Seite des Jackson Square (Decatur St.), Touren ab $ 40.

› **Save our Cemeteries,** Tel. 504 5253377, www.saveourcemeteries.org. Fundierte einstündige Friedhofstouren durch Lafayette No. 1 sowie St. Louis 1 und St. Louis 2 zu best. Terminen, außerdem Sondertouren, ab $ 20.

› **Spirit Tours New Orleans,** Tel. 504 3140806, www.spirittoursneworleans.com. Geister- u. Vampir-Touren tgl. 20.15 Uhr ab Toulouse Royale Gifts

> **EXTRATIPP**
>
> **Kochkurse mit Humor**
> › **Crescent City Cooks**, 201 Chartres St., www.crescentcitycooks.com, Tel. 504 5291600. Kochkurse ($ 35) täglich 10 und meist auch 14 Uhr, mit wechselnden Gerichten. Großer Shop zugehörig (s. S. 78).
> › **New Orleans School of Cooking**, 524 St. Louis, Tel. 504 6209456, www.neworleansschoolofcooking.com, tgl. 10/14 Uhr 2- bis 2½-stündige Kochkurse, $ 35/30. Mit Kostproben und zu unterschiedlichen Themen, z. B. Gumbo, Jambalaya und Etouffee. Mit großem Laden (s. S. 78).
> › **Cooking Classes at SoFAB**, 1830 M. L. King Jr. Blvd., https://natfab.org/cooking-classes-at-sofab, Di./Do. 11 Uhr, $ 45. Kochdemonstrationen im Southern Food and Beverage Museum (s. S. 58).

(601 Royal St.), außerdem tgl. weitere Cemetery und Voodoo Tours, $ 25.
› **Treme & Mardi Gras Indian Cultural Tours**, Tel. 504 9752434, www.tremeindiantours.com. Zweistündige Touren im Kleinbus ($ 65) durch das alte afroamerikanische Stadtviertel mit informativen Einblicken in die Kultur der Mardi Gras Indians (s. S. 39).

Swamp Tours

Es gibt verschiedene Bootsfahrten in die Sümpfe mit mehr oder weniger langer Anfahrt und zu Preisen ab ca. $ 25. Gelegentlich wird der Bustransfer vom Hotel zu den Bayous (mind. eine Stunde) extra angeboten. Die Tourdauer (meist ca. zwei Stunden) unterscheidet sich ebenso wie Größe, Ausstattung und Lautstärke der Boote und die Anzahl der Teilnehmer. Aus ökologischen Gründen sollte man die lauten Airboats und die großen „Party Boats" besser meiden. Informationen zu den Veranstaltern gibt es unter:
› www.neworleans.com/things-to-do/tours/swamp-tours
› **Dr. Wagner's Honey Island Swamp Tours**, www.honeyislandswamp.com, Tel. 985 6411769. Ökologische Touren in kleineren Flachbooten ab Slidell, Vögel- und Tierbeobachtung.
› **Pearl River Eco-Tours**, Tel. 985 6494200, www.pearlriverecotours.com. Kleine Boote ab Slidell (I–10 Exit 264) durch den Honey Island Swamp.

Schiffsausflüge

› **New Orleans Paddlewheels**, Tel. 1 800 4454109, www.creolequeen.com. Fahrten mit der Creole Queen, einem nachgebauten Schaufelraddampfer, wie er in den 1850er-Jahren auf dem Mississippi unterwegs war. Mississippi River Dinner Jazz Cruise (mit Jazz und Buffet $ 79) sowie Historical River Cruise ($ 34) und Swamp Tours. Die Anlegestelle befindet sich am Riverwalk Shoppingcenter (1 Poydras St.).
› **Steamboat Natchez**, Tel. 1 800 3652628, www.steamboatnatchez.com, Tickets und Abfahrt: Toulouse Street Wharf (JAX Brewery, s. S. 75), zweistündige Harbor Jazz Cruise (zweimal tgl. $ 36, mit Lunch $ 48) sowie Dinner Jazz Cruise um 19 Uhr mit Musik ($ 49 bzw. $ 85) und Sunday Jazz Brunch Cruise ($ 53), Tour durch den Steam Engine Room und Calliope (Orgel) Concert inklusive.
› Längere **Mississippi-Bootsfahrten** bieten z. B. folgende Gesellschaften: www.frenchamericaline.com/aboard mit der „Louisiane", www.americanqueensteamboatcompany.com (mit der „American Queen" oder der „American Duchess") und www.americancruiselines.com.

Telefonieren

Ein **dreistelliger area code** – im Großraum New Orleans durchgängig **504** – geht der siebenstelligen Rufnummer voraus, muss aber bei Ortsgesprächen aus dem Festnetz nicht mitgewählt werden. Die Nummer kann auch als werbewirksame **Buchstabenkombination** (2 – ABC, 3 – DEF, 4 – GHI, 5 – JKL, 6 – MNO, 7 – PQRS, 8 – TUV, 9 –WXYZ) angegeben sein.

Gebührenfrei, aber regional begrenzt, sind 1–800er-/1-833er-/1-844er-/1-855er-/1-866er-/1-877er-/1-888er-Nummern, teuer sind jene, die mit 1–900 beginnen.

In Hotels bereitet das Telefonieren kein Problem und es wird meist über Kreditkarte abgerechnet. Bei Telefonkarten wird grundsätzlich unterschieden zwischen **calling cards** (monatliche Abrechnung vom Kreditkartenkonto) und **prepaid** oder **phone cards** (geladen mit einem bestimmten Betrag). Hier einige **hilfreiche Websites**:
› www.callingcards.com – Übersicht über Anbieter und Preise. Ähnlich:
› www.long-distance-phone-cards.info

Mobile Phone

In den USA ist das **GSM-Mobilfunknetz** (850/1900 MHz) gut ausgebaut. Der eingedeutschte Begriff „Handy" existiert im Amerikanischen übrigens nicht. Das Wort *handy* bedeutet nichts anderes als „handlich", „praktisch" oder „geschickt". Man spricht stattdessen von *cell(ular)* oder *mobile (phone)*.
› Eine preiswerte Prepaid-Handy-SIM-Karte für die USA gibt es bei **Simly** (www.simlystore.com/de), auch Läden wie Best Buy bieten verschiedene Versionen von SIM-Karten.

Kostenfalle Datenroaming

Viele Reisende nutzen auch im Ausland eine **mobile Datenverbindung**. Dies ist jedoch häufig mit hohen Kosten verbunden. Man sollte daher vor der Reise bei seinem Netzbetreiber Informationen über evtl. günstigere Auslandsdatenpakete einholen oder zur Sicherheit die Mobile-Daten-Option deaktivieren und nur über kostenlose WLAN-Netze ins Internet gehen.

Uhrzeit und Datum

Die USA sind in vier Hauptzeitzonen eingeteilt – Eastern, Central, Mountain und Pacific Time –, die eine Verschiebung von der mitteleuropäischen Zeit um sechs bis neun Stunden bedeuten. In New Orleans gilt **Central Time**, d.h. **7 Stunden Zeitverschiebung**. Wenn es in Deutschland 18 Uhr, ist es in New Orleans 11 Uhr vormittags.

In den USA wird bei der Uhrzeit nicht bis 24 durchgezählt, sondern nur bis 12. Das Nachstellen von **a.m.** (ante meridiem) weist auf vormittags, **p.m.** (post meridiem) auf nachmittags hin. 12 Uhr mittags (12 p.m.) heißt noon, 0 Uhr (12 a.m.) midnight. **Sommerzeit** *(daylight saving time)* herrscht in den USA vom 1. Märzwochenende bis zum 1. Novemberwochenende.

Das **Datum** wird in der Reihenfolge Monat–Tag–Jahr angegeben, z. B. Jan. 28, 2019 oder kurz 1/28/2019.

Internationale Vorwahlen
› in die **USA**: 001
› nach **Deutschland**: 01149
› nach **Österreich**: 01143
› in die **Schweiz**: 01141

Unterkunft

Die Stadt verfügt über über 22.000 Hotelzimmer, trotzdem ist ganzjährig eine **Reservierung** angeraten. Vor Ort kann man es direkt bei einem Hotel, im Visitor Center (auch Coupons erhältlich) oder am Flughafen versuchen. Besonders während Großveranstaltungen wie Mardi Gras oder dem Jazz Festival sollte man besser **von zu Hause aus buchen**, sei es über Reiseveranstalter bzw. Reisebüros oder im Internet. Zum Beispiel lassen sich auf www.neworleans.com/hotels Hotels aller Kategorien finden und buchen.

Die Krux an Hotels in New Orleans ist, dass sich viele zwar, was das Äußere und die Lobby angeht, prächtig, gediegen-elegant und großzügig geben, die Zimmer aber oft klein und schlicht sind. Verbreitet ist „antikisierende" Möblierung, dazu gehören manchmal ein romantischer Innenhof *(courtyard)* und ein kleiner Pool. Wer ruhig schlafen möchte, sollte im French Quarter ein Zimmer nach innen und möglichst weit oben verlangen.

Im **CBD** (Convention Center Blvd./ St Charles Ave./Canal St.) gibt es vorwiegend größerer Ketten- und Businesshotels der gehobenen Kategorie, neuerdings vermehrt auch Boutiquehotels. Für Leute, die nur kurz in der Stadt sind, ist das **French Quarter** als Übernachtungsort strategisch am besten geeignet.

Hotels

Gehobene Kategorie

250 [D4] **Hotel Le Marais** $$$$, 717 Conti St., Tel. 504 5252300, www.hotellemarais.com. **Schickes und modernes Boutiquehotel in guter Lage:** kleines, feines Hotel mit Bar und Innenhof, Frühstück inklusive. Mit Pool und Fitnesscenter.

Preiskategorien

Die Kategorisierungen unten beziehen sich auf den ungefähren Preis für ein Doppelzimmer ohne Frühstück und zuzüglich Steuern. Bei Buchung vor Ort müssen rund 16 % an Steuern und Gebühren dazugerechnet werden.

$	unter $ 100
$$	$ 100–150
$$$	$ 150–220
$$$$	über $ 220

251 [D3] **Maison Dupuy** $$$–$$$$, 1001 Toulouse St., www.maisondupuy.com, Tel. 504 5868000. **Edler Luxus im French Quarter:** ruhig und dennoch zentral gelegenes elegantes Hotel mit gut ausgestatteten, geräumigen Zimmern rund um einen Innenhof mit Pool. Zugehöriges Restaurant und Konzerte im Hof.

252 [E3] **The Cornstalk Hotel** $$$$, 915 Royal St., Tel. 504 5231515, 1 800 7596112, http://thecornstalkhotel.com. **Schon der Zaun ist legendär:** viktorianische Villa von 1816 mit berühmtem Zaun. Sehr edles Boutiquehotel mit 14 Zimmern im French Quarter, teilweise mit Balkon.

253 [C5] **The Roosevelt** $$$$, 123 Baronne St., Tel. 504 6481200, www.therooseveltneworleans.com, Tel. 504 6481200. **Der Edel-Klassiker in New Orleans:** zur Waldorf-Astoria-Kette gehöriges Luxushotel in einem historischen Bau mit über 500 Zimmern. Restaurant-Bar Sazerac u. Rooftop Bar.

254 [C5] **The Saint Hotel** $$$–$$$$, 931 Canal St., Tel. 504 5225400, http://thesainthotelneworleans.com. **Äußerlich unauffällig, innen hip:** 166 ausgefallen-modern eingerichtete, große

▷ *Modern und geschmackvoll: Jung Hotel & Residences (s. S. 125)*

Gästezimmer im historischen Audubon Building. Mit Restaurant TEMPT und Burgundy Bar.

Mittlere Kategorie

255 [E5] **Bienville House Hotel** $$-$$$, 320 Decatur St., Tel. 504 5292345, 1 800 5359603, https://bienvillehouse.com. **Mit typischem Balkon und idyllischem Innenhof:** Hotel im French Quarter mit verschiedenen Raumtypen und -größen, inkl. kleinem Frühstück und Pool.

256 [E4] **Bourbon Orleans Hotel** $$-$$$, 717 Orleans St., www.bourbonorleans.com, Tel. 504 5232222. **Mitten im Geschehen:** unterschiedliche Zimmer und Suiten an der Bourbon St., mit kleinem Pool.

257 [D4] **Dauphine Orleans** $$-$$$, 415 Dauphine St., Tel. 1 800 5217111, 504 5861800, www.dauphineorleans.com. **Verteilt auf mehrere Gebäude und hinter schlichter Fassade:** 111 unterschiedliche Zimmer (Hermann/Carriage House). Inkl. Frühstück und WLAN.

258 [G3] **Frenchmen Hotel** $$-$$$, 417 Frenchmen St., Tel. 504 9455453, www.frenchmenhotel.com. **Mitten im Nightlife:** zwei renovierte kreolische Stadthäu-

EXTRATIPP
Historischer Luxus in neuem Glanz

Das Jung Hotel wurde 1907 von deutschen Einwanderern erbaut und präsentiert sich heute mit 171 modern und geschmackvoll gestalteten Zimmern und Suiten, Bar, Restaurant und Coffeeshop sowie Pool mit Bar auf dem Dach. Es befindet sich dazu in günstiger Lage an einem Streetcar-Stopp.

260 [B4] **Jung Hotel & Residences** $$$, 1500 Canal St., Tel. 504 5225864, www.junghotel.com

ser aus dem 19. Jh. mit Pool und Spa im hübschen Innenhof. Zimmer und Suiten verschiedener Kategorien, mit Frühstück und nahe French Market in ruhiger Randlage des French Quarter.

259 [D5] **Hotel Mazarin** $$-$$$, 730 Bienville St., Tel. 504 5817300, www.hotelmazarin.com. **Rund um einen malerischen Innenhof:** Boutiquehotel mit 102 komfortablen Zimmern, Gratis-Internet, tollen Bädern und Betten; günstig im French Quarter gelegen.

EXTRAINFO

Buchungsportale
Neben Buchungsportalen für **Hotels** (z. B. www.booking.com, www.hrs.de oder www.trivago.de) bzw. für **Hostels** (z. B. www.german.hostelworld.com oder www.hostelbookers.com) gibt es auch Anbieter, bei denen man **Privatunterkünfte** buchen kann. Portale wie www.airbnb.de, www.wimdu.de oder www.couchsurfing.com vermitteln Wohnungen, Zimmer oder auch nur einen Schlafplatz auf einer Couch. Diese oft recht günstigen Übernachtungsmöglichkeiten sind nicht unumstritten, weil manchmal normale Wohnungen gewerblich missbraucht werden und ganze Viertel ihren Charakter verändern. Eine Buchung unterliegt wegen denkbarer Gegenmaßnahmen der Stadt einem gewissen Restrisiko.

🏨 **261** [D6] **International House** $$$, 221 Camp St., Tel. 504 5539550, 1 800 6335770, www.ihhotel.com. **Gelungene Symbiose aus modern und historisch:** Boutiquehotel mit eklektischer Ausstattung und Gratis-WLAN. Besonders schön sind die Corner Rooms und die Zimmer mit Balkon. Mit LOA Cocktail Bar.

🏨 **262** [D5] **Monteleone Hotel** $$$, 214 Royal St., Tel. 504 5233341, http://hotelmonteleone.com. **Ein erschwinglicher Klassiker:** 590 komfortable Zimmer in historischem Hotel, auch über deutsche Reiseveranstalter buchbar. Schöner Blick von der Dachterrasse mit Pool und rotierender Carousel Bar (s. S. 69). Erstklassiges Restaurant (Criollo) zugehörig.

🏨 **263** [C5] **MOXY New Orleans** $$, 210 O'Keefe Ave., Tel. 504 5256800, www.marriott.de/hotels/travel/msyof-moxy-new-orleans-downtown-french-quarter-area. **Hip und schick im CBD:** moderne Zimmer verschiedener Größe, geselligjunges Ambiente mit Bar.

🏨 **264** [C10] **Prytania Park Hotel** $$-$$$, 1525 Prytania St., Tel. 504 5240427, 1 800 8621984, www.prytaniaparkhotel.com. **Im Grünen gelegen:** 60 unterschiedlich große und eingerichtete Zimmer, zum Teil mit viktorianischer Ausstattung und mit Balkonen, an der Streetcar-Linie im Garden District.

🏨 **265** [D6] **The Eliza Jane** $$$, 315 Magazine St., Tel. 504 8821234, www.hyatt.com/de-DE/hotel/louisiana/the-eliza-jane/msyub. **In einem historischen Zeitungsbau:** 196 moderne Zimmer und Suiten im Gebäude der The Daily Picayune und benannt nach dessen Herausgeberin. Mit historischen Reminiszenzen, Kunst und zum Teil bodentiefen Fenstern, Innenhof und Atrium. Zugehörig ist die French Brasserie Couvant mit Raw Bar.

🏨 **266** [D7] **The Old No. 77 Hotel & Chandlery** $$-$$$, 535 Tchopitoulas St., Tel. 504 5275271, http://old77hotel.com. **Schick nächtigen in einem Lagerhaus von 1854:** moderne, künstlerisch dekorierte Zimmer im „up and coming" Warehouse District. Mit Restaurant.

🏨 **267** [D6] **The Whitney Hotel** $$, 610 Poydras St., Tel. 504 5814222, www.whitneyhotel.com. **Schlafen in der Bank:** Hotel, das in einem historischen Bankgebäude in guter Lage zwischen French Quarter und Central Business District untergebracht ist. Gut ausgestattete Zimmer, in den oberen Etagen mit gutem Ausblick.

Preiswerte Hotels

🏨 **268** [C10] **1415 Creole Gardens Guest House** $$, 1415 Prytania St., Tel. 504 5698700, http://creolegardens.com. **Wer die Wahl hat …:** ganz unterschiedliche Räume im Herrenhaus, im Bordello Mansion oder in Cottages, teils modern, teils herrschaftlich, immer gemütlich. 24 Zimmer verteilt auf verschiedene

Gebäude. Günstig am Anfang des Garden District gelegen.

🏠 **269** [D4] **Hotel St. Marie** $$-$$$, 827 Toulouse St., Tel. 1 888 6264812, www.hotelstmarie.com. **Günstig im French Quarter gelegen und dazu erschwinglich:** nur ein Block von der Bourbon Street entfernt. Viele Gästezimmer mit Balkon, dazu Innenhof und Pool.

🏠 **270** [F3] **Inn on Ursulines** $$, 708 Ursulines Ave., Tel. 1 800 5357815, www.frenchquarterguesthouses.com/inn-on-ursulines.html. **Historisches Creole Cottage, das früher in Besitz von Voodoo Queen Marie Laveau war** (s. S. 24): geradlinig-modern ausgestattete 15 Zimmer in historischem Bau. Zentral gelegen, doch erstaunlich ruhig, mit Innenhof für Gäste. Falls ausgebucht, gibt es auf der Website drei weitere Unterkünfte.

🏠 **271** [E4] **Place d'Armes Hotel** $$, 625 St. Ann, Tel. 1 866 4071923, www.placedarmes.com, werktags preiswerter als an Wochenenden. **Mit romantischem Innenhof:** 85 Zimmer zum Jackson Square hin. Inkl. Frühstück.

🏠 **272** [C8] **The Hotel Modern** $-$$, 936 St. Charles Ave., Tel. 504 9620900 bzw. 1 800 6849525, www.thehotelmodern.com. **Modernes „Hochhaus" nahe Lee Circle:** Bunt eingerichtete Zimmer verschiedener Kategorien inkl. Frühstück und WLAN. Mit Restaurant und Bar.

Hostels und Jugendherbergen

🏠 **273** [fj] **Historic Creole Lodge** $, 2471 Dauphine St., www.creoleinn.com, Tel. 504 9410243. **In Fauborg Marigny gelegen:** einfache Zimmer mit eigenen Bädern in einem historischen Haus ohne viel Komfort, aber preiswert und sauber. Parken und WLAN gratis.

🏠 **274** [C5] **HI USA NOLA Hostel** $, 1028 Canal St., Tel. 504 6033850, www.hiusa.org/hostels/louisiana/new-orleans/new-orleans. **Moderne, freundliche Herberge:** 120 Betten in Schlafsälen, 24 EZ/DZ, mit Café und Gratisfrühstück, neu eröffnet in zwei historischen Gebäuden aus den 1890er-Jahren. Große Küche und Gemeinschaftsräume.

🏠 **275** [dj] **India House Backpackers Hostel** $, 124 S Lopez St., Tel. 504 8211904, www.indiahousehostel.com. Bett ab $ 20, Zimmer ab $ 45. **Mit Bühne und Veranstaltungen:** Partys und BBQ im großen Innenhof mit Pool.

Bed and Breakfast

Eine Liste von Privatzimmern in verschiedenen Preiskategorien, Komfortstufen und Vierteln findet sich z. B. auf:

› www.bedandbreakfast.com („New Orleans" eingeben). Über 50 Bed and Breakfasts und kleine Hotels.

› www.neworleansbandbs.com. Ausgewählte Bed and Breakfasts und kleinere Hotels sowie Guesthouses.

🏠 **276** [ej] **Degas House** $$$$, 2306 Esplanade Ave. (Bus 91, „Esplanade at N. Tonti"), Tel. 504 8215009, www.degashouse.com. **„Historic home", in dem einst der berühmte Maler lebte:** Im Obergeschoss befinden sich vier edle Zimmer und zwei Suiten, inkl. Frühstück, WLAN und Haustour.

🏠 **277** [ej] **HH Whitney House** $$-$$$, 1923 Esplanade Ave., Tel. 504 9489448, www.hhwhitneyhouse.com. **Elegante Atmosphäre in historischem Mansion:** fünf mit Antiquitäten eingerichtete B&B-Zimmer, teils mit eigenem Bad, umgeben von einem tropischen Garten.

🏠 **278** [D2] **Jazz Quarters** $$$, 1129 St. Philip St., Tel. 504 5231372, www.jazzquarters.com. **Kleine, grüne Wohnanlage:** am Rand des French Quarter, gegenüber dem Armstrong Park gelegener Komplex aus mehreren Cottages und prächtig begrüntem Innenhof. Gourmetfrühstück und sicheres Parken im Hof. Zehn individuell ausgestattete, gemütliche Suiten (für 4 Pers.) und Zimmer.

Umgangsformen und Verhaltenstipps

Auch wenn New Orleans als liberal und tolerant, als sehr „lässig" und „relaxt" gilt, sind durchaus amerikanische Umgangsformen verbreitet: Freundlichkeit, Hilfsbereitschaft, Diskretion und Disziplin. Der Kunde ist König. Vordrängen, Muffigkeit, Aggressivität und Hektik sind verpönt.

Do's und Don'ts – amerikanische Besonderheiten

› **Trinkgeld** *(tip* oder *gratuity)* ist nicht inklusive und die Löhne der Beschäftigten im Dienstleistungsgewerbe sind gering. Im Restaurant werden 20 % vom Rechnungsbetrag erwartet. Auch Taxifahrer oder Zimmermädchen erhoffen sich ein Trinkgeld.
› **Alkohol** darf nicht an Personen unter 21 Jahren verkauft oder ausgeschenkt und nicht offen im Auto transportiert werden.
› **Händeschütteln** ist bei der Begrüßung eher unüblich, dafür werden altersunabhängig die Vornamen benutzt.
› Die amerikanischen **Tischsitten** unterscheiden sich besonders im Hinblick auf das Hantieren mit dem Besteck von den europäischen: Amerikaner schneiden mit dem Messer vor und benutzen dann nur noch die Gabel. Beidhändig zu essen identifiziert den Europäer. Es würde keinem Amerikaner einfallen, Pizza oder Meeresfrüchte mit Messer und Gabel zu essen. Selbst in Toplokalen kann man sich Essensreste einpacken lassen oder nur gratis serviertes Leitungswasser *(tap water)* trinken.
› **Toiletten** nennt man nie *toilet* sondern immer *restroom, ladies'/men's room, bathroom* oder *powder room.*
› In New Orleans mag man es nicht, wenn der Name der Stadt mit **Betonung** auf der zweiten Silbe („leans") ausgesprochen wird. Es heißt also „New ORlins" nicht „New OrLEENS" oder noch kürzer „N'Awlins".

Verkehrsmittel

Nahverkehrsmittel

In New Orleans existiert ein gut ausgebautes öffentliches Verkehrssystem, das es erlaubt, bei einem Kurzaufenthalt auf das Auto zu verzichten. Der Stadtkern ist für Rundgänge zu Fuß bzw. in Kombination mit Trams oder Bussen hervorragend geeignet. Die berühmten grünen und roten **Streetcars**, aber auch die **Busse** werden von der Regional Transit Authority (RTA) betrieben.

Streetcars

Die **grünen St. Charles Streetcars** (s. S. 33) verkehren rund um die Uhr entlang der St. Charles Ave. zwischen Canal St. (CBD), Garden District, Uptown, Audubon Park und Carrollton. Für die insgesamt 21 km sind ca. 45 Minuten zu rechnen und etwa alle zwei Blocks gibt es durchnummerierte Haltestellen („Car Stop"). Am Endpunkt befindet sich keine Wendeschleife. Der Fahrer wechselt ans andere Ende, nachdem alle ausgestiegen sind und die Sitze umgeklappt wurden.

Die **roten Riverfront Streetcars** fahren entlang der Riverfront, dem Flussufer, vom Convention Center über Jackson Square und French Market bis zur U.S. Mint. Auf der rund 3 km langen Strecke befinden sich mehrere Haltepunkte. **Während des Umbaus des World Trade Centers in ein Hotel (voraussichtliche Eröffnung 2020) ruht die Linie allerdings.** Dafür fahren die Canal Streetcars bis zum French Market.

Die ebenfalls **roten Canal Streetcars** bedienen zwei Routen: „**Canal/City Park**" verkehrt zwischen Harrah's Casino/Riverwalk/Aquarium entlang der Canal Street zum City Park/NOMA, die Linie „**Canal/Cemeteries**" ebenfalls von Harrah's Casino/Riverwalk/Aqarium auf der Canal St., jedoch bis zu den Friedhöfen im Norden.

Die **Streetcar-Linie Rampart–St. Claude** führt vom Bahnhof (Union Passenger Terminal) über die Loyola Ave., kreuzt die Canal St. und fährt weiter entlang der Rampart St. am Nordrand des French Quarter bis zur Elysian Fields Ave. im Viertel Marigny.

Informationen und Fahrpreise

Einzeltickets **für Busse und Straßenbahnen** kosten $ 1,25 (schnellere Expressbusse kosten $ 1,50), Umsteigekarten (*transfer tickets,* bei Wechsel der Linien) gibt es für $ 0,25 beim Fahrer. Der Betrag muss abgezählt beim **Einsteigen vorn** in einen Kasten geworfen werden. Günstig für Besucher sind die Tagestickets, „Jazzy Pass" genannt, die es in den Touristeninformationen (s. S. 108), in verschiedenen Hotels, bei Verkaufsständen und in Walgreens-Filialen gibt.

› **1-Day Pass** (auch in Bussen und Streetcars erhältlich): $ 3
› **3-Day Jazzy Pass:** $ 9
› **5-Day Jazzy Pass:** $ 15
› **Informationen RTA:** Tel. 504 2483900, www.norta.com (Netzplan unter „Maps & Schedules"/„System Map")
› **App:** RTA GoMobile (s. S. 109)

◿ *Die roten Streetcars verkehren auf der Canal Street* ㉑

Taxis

Taxis (u. a. United Cab, Tel. 504 5220629, oder Service Cab, Tel. 504 8341400) sind zahlreich vorhanden, stehen vor Hotels oder Museen und verlangen $ 3,50 pro 1/8 Meile. Für jeden weiteren Passagier fällt ein Aufschlag von $ 1 an. Bei großen Events wie Mardi Gras liegt der Minimalpreis bei $ 5 pro Person. Für eine Fahrt vom oder zum Flughafen beträgt die **Flatrate $ 36** für bis zu zwei Personen.

Fähren

Per Fähre (Autofähren, tgl. 6–21 Uhr alle 15 Min., $ 2 pro Person) kommt man ab Canal Street Dock (Ende Canal St., Riverwalk) über den Fluss nach Algiers Point (Huey P. Long Ave.).
› **Infos:** http://friendsoftheferry.org

Versicherungen

Eine einzige Versicherung ist in den USA unverzichtbar: eine private **Auslandskrankenversicherung**. Da die Kosten für eine ärztliche Behandlung in den USA von den gesetzlichen Krankenversicherungen in Deutschland und Österreich (Schweizer Staatsbürger bitte nachfragen!) nicht übernommen werden, können ohne sie nämlich im Krankheits- oder Notfall hohe Kosten anfallen. Am günstigsten sind Jahres- bzw. Familienkrankenversicherungen. Zur Erstattung der Kosten zu Hause benötigt man ausführliche Quittungen.

Nicht immer sinnvoll ist der Abschluss **weiterer Versicherungen** wie Reiserücktritts-, Gepäck-, Reisehaftpflicht- oder Reiseunfallversicherung. Sie enthalten viele Ausschlussklauseln und zudem sind gewisse Schäden und Verluste auch durch bereits existierende Versicherungen wie Privathaftpflicht oder Unfallversicherung abgedeckt. Auch in manchen (Gold-)Kreditkarten sind bestimmte Versicherungen enthalten. Es lohnt sich, sich vorher zu informieren!

Wetter und Reisezeit

New Orleans hat **subtropisches Klima** mit Sommerdurchschnittstemperaturen von 27 °C und verzeichnet im jährlichen Durchschnitt immerhin gut 20 °C. Selbst im Winter sinken die Temperaturen nur selten unter 15 °C. Die meisten Niederschläge fallen im Juli.

Beste Reisezeiten sind das **Frühjahr**, wo es allerdings noch heftige Regenschauer geben kann, und besonders der **Herbst** – sogar bis in den November hinein. Im Sommer kann es hingegen sehr heiß werden, was insbesondere angesichts einer Luftfeuchtigkeit von über 60 % eher unangenehm ist. Häufig ist dabei der Himmel bedeckt und es herrscht drückende Schwüle: Große Mengen an Flüssigkeit und leichte **Kleidung** – möglichst aus Naturfasern – sowie ein Regenschutz sind dann empfehlenswert.

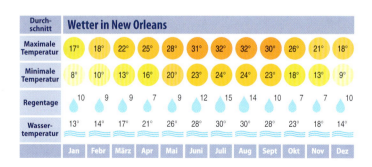

Durchschnitt	Wetter in New Orleans											
Maximale Temperatur	17°	18°	22°	25°	28°	31°	32°	32°	30°	26°	21°	18°
Minimale Temperatur	8°	10°	13°	16°	20°	23°	24°	24°	23°	18°	13°	9°
Regentage	10	9	9	7	9	12	15	14	10	7	7	10
Wassertemperatur	13°	14°	17°	21°	26°	28°	30°	30°	28°	23°	18°	14°
	Jan	Febr	März	Apr	Mai	Juni	Juli	Aug	Sept	Okt	Nov	Dez

ANHANG

Kleine Sprachhilfe Amerikanisch

Für einen tieferen Einstieg in die Sprache seien an dieser Stelle die Reisesprachführer „Amerikanisch – Wort für Wort" (Kauderwelsch-Band 143), „American Slang" (Kauderwelsch-Band 29) und „More American Slang" (Kauderwelsch-Band 67) aus dem REISE KNOW-HOW Verlag empfohlen.

Begrüßung und Höflichkeit

Guten Morgen	Good morning (bis mittags)
Guten Tag	Good afternoon (ab mittags)
Guten Abend	Good evening
Gute Nacht	Good night
Auf Wiedersehen	Goodbye/Bye-bye/See you (umgangssprachlich)
Willkommen!	Welcome!
Mein Name ist ...	My name is ...
Wie heißen Sie?/Wie heißt du?	What's your name?
Schön Sie/Dich kennenzulernen/zu sehen.	Nice/Good to see you.
Entschuldigen Sie ...	Excuse me, please, ... (bei Fragen)
Verzeihung!	Sorry/Pardon me!
Bitte	Please (bei Fragen, Bitten)
Danke	Thank you/Thanks
Bitte, gern geschehen	You are (very) welcome
Könnten Sie mir bitte sagen ...	Could you, please, tell me ...

Allgemeine Fragen und Wendungen

Ich bin/Wir sind ...	I am .../We are ...
Das ist/sind ...	This is/These are ....
Wo ist/sind ...?	Where is/are ...?
Wo kann ich ... bekommen?	Where can I get ...?
Was ist das?	What's that?
Haben Sie ...?	Have you got ...? I am looking for ...
Wie viel kostet ...?	How much is ...?
Ich verstehe nicht.	I don't understand.
Sprechen Sie Deutsch?	Do you speak German?
Wie heißt das auf Englisch?	What's that in English?
vielleicht	perhaps, maybe
wahrscheinlich	probably
Ist es möglich ...?	Is it/Would it be possible ...?
Wer?	Who?
Was?	What?
Wie?	How?
Wie viel(e)?	How much? (Menge) How many? (Anzahl)

+++ Die wichtigsten Wörter mit dem Bonus-Audiotrack des Kauderwelsch-

Kleine Sprachhilfe Amerikanisch

Zeit

Wie spät ist es?	*What time is it?*
Es ist 10 Uhr.	*It's 10 a.m. (ante meridiem)*
Es ist 22 Uhr.	*It's 10 p.m. (post meridiem)*
Mittag/Mitternacht	*noon/midnight*
heute	*today*
morgen	*tomorrow*
gestern	*yesterday*
morgens	*in the morning*
nachmittags	*in the afternoon*
abends	*in the evening*
früh/früher	*early/earlier*
spät/später	*late/later*

Wochentage

Montag	*Monday*	Freitag	*Friday*
Dienstag	*Tuesday*	Samstag	*Saturday*
Mittwoch	*Wednesday*	Sonntag	*Sunday*
Donnerstag	*Thursday*	Feiertag	*holiday*

Geldangelegenheiten

Geld, Kleingeld, Bargeld	*money, change, cash*
1 Dollar ($)	*„buck" (100 cent)*
1/5/10/25 Cent (c.)	*penny/nickel/dime/quarter*
Tausender	*grand*
Geldautomat	*ATM (automated teller machine)*
Kreditkarte	*credit card*
Reisescheck	*travelers cheque/check*
Ausweis	*ID (identification papers/card), passport*
Steuer	*tax*
Gebühr	*fee*

Unterwegs

Wie weit ist es bis …?	*How far is it to …?*
Ist das der richtige Weg nach …?	*Is this the right way to …?*
Nord, Süd, Ost, West	*north, south, east, west*
links, rechts	*left, right*
geradeaus, zurück	*straight (ahead), back (to)*
Ampel, Kreuzung	*traffic light(s), junction*
Auto/Mietwagen	*car, vehicle/rental car*
Autovermietung	*car rental station*

AusspracheTrainers auf PC oder Smartphone lernen (siehe Umschlag hinten) +++

Lastwagen	truck
Motorrad	motorcycle, bike
Benzin	gas
Tankstelle	gas station
Führerschein	driver's license
Panne/Pannenhilfe	breakdown/roadside assistance

Öffentliche Verkehrsmittel

Fahrkarte	ticket
Tageskarte	day pass
einfache Fahrt	one-way trip
hin und zurück	round trip
Schienenverkehr (Tram, U-/S-Bahn)	light rail
Straßenbahn	tram, streetcar
U-Bahn	subway, metro
(Bus-)Bahnhof/-Haltestelle	(bus) station/stop
Zug/Bahnhof	train/train station, railroad station
Schiff/Fähre	boat/ferry

Unterkunft

Haben Sie ein Zimmer frei?	Any vacancy? Do you have a room available?
Zimmer frei/besetzt (Schilder)	Vacancy/No vacancy
Reservierung	reservation
Einzel-/Doppelzimmer	single/double room
... mit einem Bett/	... with one (king-size)/
... mit zwei Betten	... with two (queen-size) beds
... mit Frühstück	... with breakfast included
Badezimmer	bathroom
Dusche, Badewanne	shower, bathtub
WC	bathroom, restroom, ladies'/men's room
behindertengerecht	handicapped accessible/ handicap-accessible
Aufzug, Treppe, Rolltreppe	elevator, stairs, escalator
Stockwerk	floor
Parterre/erster Stock	ground floor oder first floor/second floor

Essen und Trinken

Speisekarte	menu
Ich möchte ... bestellen	I would like (to order) .../I will take ...

Rechnung	check	Mittagessen	lunch
Tagesgericht	daily special	Abendessen	dinner/supper
Vorspeise	appetizer	Bedienung (m/w)	waiter/waitress
Hauptgericht	entree/entrée	Trinkgeld	tip, gratuity
Nachspeise	dessert	essen	to eat
Frühstück	breakfast	trinken	to drink

Humorvolles aus dem
Reise Know-How Verlag

**Amüsant und sachkundig.
Locker und heiter.
Ironisch und feinsinnig.**

Die Fremdenversteher
Deutsche Ausgabe der englischen Xenophobe's® Guides.

Mit typisch britischem Humor werden Lebensumstände, Psyche, Stärken und Schwächen der Amerikaner unter die Lupe genommen.

Die Fremdenversteher
Weitere Titel der Reihe: **So sind sie, die ...**

- **Australier**
- **Belgier**
- **Deutschen**
- **Engländer**
- **Franzosen**
- **Isländer**
- **Italiener**
- **Japaner**
- **Niederländer**
- **Österreicher**
- **Polen**
- **Schweden**
- **Spanier**
- **Schweizer**

Je 108 Seiten | € 8,90 [D]

ww.reise-know-how.de

Register

1850 House 17

A
Abkürzungen 138
Airport-Downtown Express 103
Airport Shuttles 102
Amerikanisch 119, 132
Amtrak 103
Anreise 102
Apotheken 113
Apps 109
Aquarium 56
Armstrong, Louis 98
Arzt 113
Audubon Nature Institute 58
Audubon Nature Institute – Aquarium of the Americas 56
Audubon Nature Institute – Insectarium 56
Audubon Nature Institute – Zoo 56
Autofahren 103
Automobilklub 104

B
Bargeld 108
Barrierefreies Reisen 104
Bars 69
Baseball 118
Basin Street Station 22
Basketball 118
Baton Rouge 48
Bayou Classic 82
Bayou Teche Museum 54
Beauregard-Keyes House 27
Bed and Breakfast 127
Behinderte 104
Blaine Kern's Mardi Gras World 36
Bourbon Street 18

C
Cabildo 15
Cafés 66
Cajun Country 51
Canal Street 32
Celebration in the Oaks 82
Central City 40
Chalmette Battlefield and National Cemetery 47
Chemical Corridor 97
City Park 43
Confederate Memorial Hall Museum 56
Congo Square Rhythms Festival 80
Conrad Rice Mill – Konriko 54
COOLinary New Orleans 66
Creole Tomato Festival 81
Crescent City Blues & BBQ Festival 82
Crescent Park 31

D
Datum 123
Debitkarte 108, 114
Diplomatische Vertretungen 105
Discos 72
Do's und Don'ts 128

E
EC-Karte 108, 114
Einkaufen 74
Einreisebestimmungen 105
Einreisekontrolle 106
Eisläden 66
Electronic System for Travel Authorization (ESTA) 105
Elektrizität 107
Englisch 119, 132
Essen 60

F
Fähren 129
Fahrpreise 129
Fahrrad 118
Faubourg Lafayette 40
Feiertage 81
Ferien 81
Feste 80
Festival International de Louisiane 52
Flüge 102
Flughafen 102
Football 37, 118
Französisch 119
Fremdenverkehrsamt 108
French Market 28
French Quarter 13
French Quarter Festival 80
Friedhöfe 20
Fundbüros 115

G
Galerien 59
Gallier Hall 35
Gallier House Museum 26
Garden District 41
Gärten 79
Gastronomie 61
Geld 107
Genießer 60
Geografie 93
Geschichte 86
Gesellschaft 91
Getränke 60
Girocard 108, 114
Greenwood Cemetery 21
Gretna 46
Greyhound 103

H
Hafen 95
Handy 123
Hermann-Grima House 23
Historic New Orleans Collection 17
Homosexuelle 116
Hostels 127
Hotels 124
Hurricanes 90, 94

Register

I
Informationsstellen 108
Insectarium 56
Internet 111

J
Jackson Square 14
Jazz 97
JazzFest 81
Jean Lafitte National Historical Park 52
Jugendherbergen 127
Jungle Gardens of Avery Island 54

K
Karneval 38
Kartensperrung 114
Kinder 113
Kinos 73
Klima 93, 130
Kochkurse 122
Konfektionsgrößen 112
Krankenhaus 113
Kreditkarte 107, 114
Kulinarisches 62
Kurztrip 8

L
Lafayette Cemetery 21
Lafitte, Jean und Pierre 19
Lake Pontchartrain 45
Lakeview 45
Leben in der Stadt 90
Lee Circle 35
Lesben 116
LGBT+ 116
Literaturtipps 110
Livemusik 69
Lokale 61
Longue Vue House and Gardens 45
Louis Armstrong Park 22
Louisiana Cajun-Zydeco Festival 81
Louisiana Children's Museum 57
Louisiana State Capitol 49
Louisiana State Museum 49
Louisiana State Tigers 118
Louisiana State University – Visitor Center 49
Louisiana Tax-Free Shopping 77

M
Madame John's Legacy 25
Maestro-Karte 108, 114
Magazine Street 40
Mardi Gras 38, 80
Märkte 77
Maße und Gewichte 112
Medizinische Versorgung 113
Mehrwertsteuer 77
Metairie Cemetery 21
Mietwagen 102, 104
Mobile Phone 123
Museen 56
Musik 97

N
Nachtleben 68
Napoleon House 17
National World War II Museum 34
Naval War Museum 50
New Iberia 53
New Orleans African American Museum (NOAAM) 57
New Orleans Film Festival 82
New Orleans Historic Voodoo Museum 57
New Orleans Jazz & Heritage Festival 81
New Orleans Jazz National Historical Park 30, 74
New Orleans Museum of Art 43
New Orleans Musical Legends Park 72
New Orleans Pelicans 118
New Orleans Pharmacy Museum 17
New Orleans Saints 37, 118
New Orleans Spring Fiesta 80
New Orleans Wine & Food Experience 81
Notfälle 104, 114
Notrufnummern 115

O
Öffnungszeiten 115
Ogden Museum of Southern Art 35
Old State Capitol 50
Old Ursuline Convent 27
Old U.S. Mint 28
Orientierungshilfe 12

P
Paddlewheeler 30
Pannen 104
Parks 79
Pitot House Museum 45
Plantation Road 47
Politik 91
Polizei 114
Pontalba Buildings 16
Post 115
Preisniveau 108
Presbytère 15
Publikationen und Medien 110
Pubs 69

R
Raddampfer 30
Radfahren 118
Rauchen 71
Reisekrankenversicherung 113
Reiseschecks 107
Reisezeit 130
Restaurants 61
Rip Van Winkle Gardens 54
Riverfront 31, 79

Royal Street 25
Rundgang 11

S
Satchmo SummerFest 81
Schaufelraddampfer 30
Schiffsausflüge 122
Schwule 116
Secure Flight 105
Shadows-on-the-Teche 54
Shopping 74
Sicherheit 117
Smoker's Guide 71
Southern Decadence
　Festival 81
Southern Drawl 119
Southern Food &
　Beverage Museum 58
Spartipps 107
Sperrnummer 114
Spezialtouren 121
Sport 118
Sprache 119, 132
Stadtmagazine 110
Stadtspaziergang 11
Stadttouren 120
Stadtviertel 12
St. Charles Ave. 43
St. Louis Cathedral 14
St. Louis
　Cemetery No. 3 21
Streetcars 33, 128
Stromspannung 107
Sugar Bowl 80
Superdome 36
Swamp Tours 122

T
Tabasco 54
Taxi 102, 129
Telefonieren 123
Tennessee Williams/
　New Orleans Literary
　Festival 80
Termine 81
Theater 73
The House of Broel 58
Tickets 74, 109
Toiletten 128
Tourismus 94
Touristeninformation 108
Tremé 22
Trinken 60
Trinkgeld 128
Trinkwasser 113

U
Überschwemmungen
　88, 90, 94
Uhrzeit 123
Umgangsformen 128
Umweltverschmutzung 96
Unterkunft 124
Uptown 40, 43
USS Kidd 50

V
Vegetarische
　Restaurants 67
Veranstaltungen 80
Veranstaltungsorte 72
Veranstaltungs- und
　Kartenservice 109

Verhaltenstipps 128
Verkehrsmittel 128
Verkehrsregeln 104
Vermilionville 52
Versicherungen 130
Vieux Carré 13
Visa-Karte 107
Visa Waiver Program
　(VWP) 105
Visum 105
Voodoo 24
Voodoo Music & Art
　Experience 82
Vorwahlen 5, 123
VPAY 108, 114

W
Währung 108
Walking Tours 120
Warehouse District 34
Warehouse und
　Central Business
　District 32
Wasser 113
Wechselkurs 107
Wetter 130
Wirtschaft 94
WLAN 111
World War II
　Museum 34

Z
Zeit 123
Zeitungen 110
Zoll 106
Zoo 56

Abkürzungen

Abgesehen von den bekannten Abkürzungen für Tage, Monate etc. wurden die folgenden verwendet:
- ❯ E – East, W – West,
　N – North, S – South
- ❯ St. – Street
- ❯ Rd. – Road
- ❯ Sq. – Square
- ❯ Ave. – Avenue
- ❯ Blvd. – Boulevard
- ❯ bei Adressangaben:
　„/" für „Ecke", „–" für „zwischen"

Die Autoren

Margit Brinke und **Peter Kränzle** sind promovierte Archäologen, die sich vor fast 25 Jahren als Journalisten und Buchautoren selbstständig gemacht haben. Seither konnten sie sich durch über 90 Publikationen bei verschiedenen Buchverlagen und durch regelmäßige Mitarbeit bei Zeitungen, Magazinen und Blogs einen Namen im Reise- und Sportjournalismus machen. Sie wurden u. a. 2018 mit dem „IPW Travel Writer Award" ausgezeichnet. Im Reise Know-How Verlag liegen über ein Dutzend CityTrip- und CityTripPLUS-Bände vor allem zu nordamerikanischen Destinationen vor.

Dem Charme von New Orleans erlagen die Autoren schon 1990 bei ihrem ersten Aufenthalt. Seitdem sind sie regelmäßig dort, auch im Katastrophenjahr 2005, als Hurricane Katrina zuschlug. Es war beeindruckend zu beobachten, wie sich die Stadt mit viel Energie und Lebenslust wieder aufrappelte, um heute besser denn je dazustehen.

Schreiben Sie uns

Dieses Buch ist gespickt mit Adressen, Preisen, Tipps und Daten. Unsere Autoren recherchieren unentwegt und erstellen alle zwei Jahre eine komplette Aktualisierung, aber auf die Mithilfe von Reisenden können sie nicht verzichten. Darum: Teilen Sie uns bitte mit, was sich geändert hat oder was Sie neu entdeckt haben. Gut verwertbare Informationen belohnt der Verlag mit einem Sprachführer Ihrer Wahl aus der Reihe „Kauderwelsch".

Kommentare übermitteln Sie am einfachsten, indem Sie die Web-App zum Buch aufrufen (siehe Umschlag hinten) und die Kommentarfunktion bei den einzelnen auf der Karte angezeigten Örtlichkeiten oder den Link zu generellen Kommentaren nutzen. Wenn sich Ihre Informationen auf eine konkrete Stelle im Buch beziehen, würde die Seitenangabe uns die Arbeit sehr erleichtern. Unsere Kontaktdaten entnehmen Sie bitte dem Impressum.

Impressum

Margit Brinke, Peter Kränzle

CityTrip New Orleans

© Reise Know-How Verlag
 Peter Rump GmbH 2012, 2013, 2015, 2017

5., neu bearbeitete und
 aktualisierte Auflage 2019

Alle Rechte vorbehalten.

ISBN 978-3-8317-3210-4

Druck und Bindung:
 Media-Print, Paderborn

Herausgeber: Klaus Werner
Layout: amundo media GmbH (Umschlag, Inhalt),
 Peter Rump (Umschlag)
Lektorat: amundo media GmbH
Karten: Ingenieurbüro B. Spachmüller,
 amundo media GmbH
Anzeigenvertrieb: KV Kommunalverlag GmbH &
 Co. KG, Alte Landstraße 23, 85521 Ottobrunn,
 Tel. 089 928096-0, info@kommunal-verlag.de
Kontakt: Osnabrücker Str. 79, 33649 Bielefeld,
 info@reise-know-how.de

Alle Angaben in diesem Buch sind gewissenhaft geprüft. Preise, Öffnungszeiten usw. können sich jedoch schnell ändern. Für eventuelle Fehler übernehmen Verlag wie Autoren keine Haftung.

Bildnachweis

Umschlagvorderseite: fotolia.com by Adobe@ogolne | Umschlagklappe rechts: NOCVB@Pat Garin
Soweit ihre Namen nicht vollständig am Bild vermerkt sind, stehen die Kürzel an den Abbildungen für die folgenden Fotografen, Firmen und Einrichtungen. Margit Brinke: mb | New Orleans & Company: NOCVB |
fotolia.com by Adobe: fo

Liste der Karteneinträge

- ❶ [E4] Jackson Square S. 14
- ❷ [E4] St. Louis Cathedral S. 14
- ❸ [E4] Cabildo und Presbytère S. 15
- ❹ [F4] Pontalba Buildings S. 16
- ❺ [E4] New Orleans Pharmacy Museum S. 17
- ❻ [E5] Napoleon House S. 17
- ❼ [E4] Historic New Orleans Collection S. 17
- ❽ [E4] Bourbon Street S. 18
- ❾ [C4] St. Louis Cemetery No. 1 S. 18
- ❿ [D2] Tremé und Louis Armstrong Park S. 22
- ⓫ [D4] Hermann-Grima House S. 23
- ⓬ [E3] Madame John's Legacy S. 25
- ⓭ [F3] Royal Street S. 25
- ⓮ [F3] Gallier House Museum S. 26
- ⓯ [F3] Old Ursuline Convent S. 27
- ⓰ [F3] Beauregard-Keyes House & Garden Museum S. 27
- ⓱ [G3] Old U.S. Mint S. 28
- ⓲ [F4] French Market S. 28
- ⓳ [F4] New Orleans Jazz National Historical Park S. 30
- ⓴ [F4] Riverfront/ Crescent Park S. 31
- ㉑ [D6] Canal Street S. 32
- ㉒ [E8] Warehouse District S. 34
- ㉓ [D8] National World War II Museum S. 34
- ㉔ [C8] Ogden Museum of Southern Art S. 35
- ㉕ [C8] Lee Circle S. 35
- ㉖ [C7] Gallier Hall S. 35
- ㉗ [A6] Superdome S. 36
- ㉘ [fm] Blaine Kern's Mardi Gras World S. 36
- ㉙ [em] Magazine Street S. 40
- ㉚ [A9] Central City/ Faubourg Lafayette S. 40
- ㉛ [dm] Garden District S. 41
- ㉜ [dm] St. Charles Ave./ Uptown S. 43
- ㉝ [ci] New Orleans Museum of Art/ City Park S. 43
- ㉞ [di] Pitot House Museum S. 45
- ㉟ [bj] Longue Vue House and Gardens S. 45
- ㊱ [en] Gretna S. 46
- ㊲ [S. 144] Chalmette Battlefield and National Cemetery S. 47
- ㊳ [S. 144] Plantation Road S. 47
- ㊴ [S. 144] Baton Rouge S. 48
- ㊵ [S. 144] Lafayette – die Cajun Capital S. 50
- ㊶ [S. 144] „Queen City" New Iberia S. 53

- ❶1 [E3] Lafitte's Blacksmith Shop S. 19
- ★2 [bi] Greenwood Cemetery S. 21
- ★3 [dm] Lafayette Cemetery S. 21
- ★4 [bi] Metairie Cemetery S. 21
- ★5 [di] St. Louis Cemetery No. 3 S. 21
- ❶6 [C3] Basin Street Station – Welcome Center S. 22
- 🔒7 [E3] Marie Laveau's House of Voodoo S. 25
- 🔒8 [D3] Voodoo Spiritual Temple & Shop S. 25
- ●9 [A9] Zeitgeist S. 40
- ◉10 [A9] Café Reconcile S. 40
- 🏛11 [fn] German-American Cultural Center and Museum S. 46
- ❶12 [fn] Gretna Heritage House Welcome Center S. 46
- 🏛13 [fn] Gretna Historical Society Museum S. 47
- 🏛40 [E6] Audubon Nature Institute – Aquarium of the Americas S. 56
- 🏛41 [E6] Audubon Nature Institute – Insectarium S. 56
- 🏛42 [an] Audubon Nature Institute – Zoo S. 56
- 🏛43 [E2] Backstreet Cultural Museum S. 56
- 🏛44 [C8] Confederate Memorial Hall Museum S. 56
- 🏛46 [D8] Louisiana Children's Museum S. 57
- 🏛48 [D1] New Orleans African American Museum (NOAAM) S. 57
- 🏛49 [E3] New Orleans Historic Voodoo Museum S. 57

Liste der Karteneinträge

- 🏛 50 [A9] Southern Food & Beverage Museum (SoFAB) S. 58
- 🏛 51 [dm] The House of Broel S. 58
- 🛍 52 [D4] Brass Monkey – The Collector S. 59
- 🛍 53 [F4] Dutch Alley Artist's Co-op S. 59
- 🛍 54 [E4] Gallery Rinard S. 59
- 🛍 55 [E4] Great Artists' Collective S. 59
- 🛍 56 [E4] Lucullus Inc S. 59
- 🛍 57 [D7] New Orleans Glassworks & Printmaking Studio S. 59
- 🛍 58 [E4] Rodrigue Studios S. 59
- 🛍 59 [D5] Vintage 329 Gallery S. 59
- 🛍 60 [dm] Zèle NOLA S. 59
- 🍴 61 [E4] Antoine's Restaurant S. 61
- 🍴 62 [D5] Arnaud's Restaurant S. 61
- 🍴 63 [E4] Brennan's Restaurant S. 61
- 🍴 64 [D4] Broussard's S. 61
- 🍴 65 [dm] Commander's Palace S. 61
- 🍴 66 [E4] Court of Two Sisters S. 61
- 🍴 67 [D5] Galatoire's S. 61
- 🍴 68 [F4] Tujague's S. 61
- 🍴 69 [D6] Bon Ton Cafe S. 63
- 🍴 70 [D9] Cochon S. 63
- 🍴 71 [dm] Joey K's Restaurant S. 63
- 🍴 72 [E5] Kingfish Kitchen & Cocktails S. 63
- 🍴 73 [E5] K-Paul's Louisiana Kitchen S. 63
- 🍴 74 [E8] Mulate's S. 63
- 🍴 75 [E5] NOLA S. 63
- 🍴 76 [D4] Bayona S. 63
- 🍴 77 [B6] Borgne S. 63
- 🍴 78 [bn] Clancy's S. 63
- 🍴 79 [cm] Gautreau's S. 64
- 🍴 80 [C7] Herbsaint Bar & Restaurant S. 64
- 🍴 81 [dn] Lilette Restaurant S. 64
- 🍴 82 [cj] Mandina's S. 64
- 🍴 83 [D5] Restaurant R'evolution S. 64
- 🍴 84 [cm] Upperline Restaurant S. 64
- 🍴 85 [bn] Domilise's Po-Boy & Bar S. 64
- 🍴 86 [D5] Killer Po-Boys (1) S. 64
- 🍴 87 [D4] Killer Po-Boys (2) S. 64
- 🍴 88 [dm] Parasol's S. 64
- 🦪 89 [D5] Acme Oyster House S. 65
- 🦪 90 [cj] Bevi Seafood Company S. 65
- 🦪 91 [D5] Deanie's Seafood S. 65
- 🦪 92 [D5] Red Fish Grill S. 65
- 🍴 93 [E5] Irene's S. 65
- 🍴 94 [G3] Louisiana Pizza Kitchen S. 65
- 🍴 95 [F4] Manolito S. 65
- 🍴 96 [B7] Maypop Restaurant S. 65
- 🍴 97 [G2] Mona's Café & Deli S. 65
- 🍴 98 [E4] Sylvain S. 66
- 🍴 99 [F4] Central Grocery S. 66
- 🍴 100 [dn] Dat Dog S. 66
- 🍴 101 [A1] Dooky Chase Restaurant S. 66
- 🍴 102 [bn] Guy's Po-boys S. 66
- 🍴 103 [E5] Johnny's Po-boys S. 66
- 🍴 104 [dn] Mahony's Po-Boys & Seafood S. 66
- 🍴 105 [D7] Mother's S. 66
- 🍴 106 [dm] Coquette S. 67
- 🍴 107 [E3] Clover Grill S. 67
- • 108 [E6] Harrah's New Orleans Casino S. 67
- 🍴 109 [D5] Krystal S. 67
- 🍴 110 [B9] St. Charles Tavern S. 67
- 🍴 111 [em] Trolley Stop Cafe S. 67
- 🍴 112 [al] Breads on Oak S. 67
- 🍴 113 [D5] Green Goddess S. 67
- 🍴 114 [bn] Max Well S. 67
- 🍴 115 [gj] Satsuma Café S. 67
- 🍴 116 [C10] Seed S. 67
- 🍴 117 [C10] Surrey's Cafe & Juice Bar S. 67
- 🍴 119 [ci] Ralph's on the Park S. 67
- 🍨 120 [cj] Angelo Brocato's Italian Ice Cream & Pastry S. 68
- 🍨 121 [D5] Café Beignet S. 68
- 🍨 122 [F4] Café Du Monde S. 68
- 🍨 123 [D5] French Truck Coffee S. 68
- 🍨 124 [D7] Revelator Coffee S. 68
- 🍨 125 [cn] SnoWizard SnoBall Shoppe S. 68
- 🍨 126 [al] Bruno's Tavern S. 69
- 🍴 127 [E4] Longway S. 69
- 🍴 128 [F3] Molly's at the Market S. 69
- 🍨 129 [dn] The Bulldog S. 69
- 🍨 130 [D4] Three-Legged Dog S. 69
- 🍨 131 [D9] Ugly Dog Saloon S. 69
- 🍨 132 [G2] Brieux Carre Brewery S. 69
- 🍨 133 [E5] Crescent City Brewhouse S. 69
- 🍨 134 [dn] NOLA Brewing Company S. 69

Liste der Karteneinträge

- ⊙135 [D10] The Courtyard Brewery S. 69
- ⊙136 [em] Urban South Brewery S. 69
- ⊕137 [G2] Bamboula's & The Frenchmen Theatre S. 70
- ⊕138 [G2] Blue Nile Nightclub S. 70
- ⊕139 [G2] d.b.a. S. 70
- ⊕140 [E4] Funky Pirate S. 70
- ⊕141 [G1] Hi-Ho Lounge S. 70
- ⊕142 [E5] House of Blues S. 70
- ⊕143 [E8] Howlin' Wolf S. 70
- ⊕144 [B6] Little Gem Saloon S. 70
- ⊕145 [G2] Maison S. 70
- ⊕146 [al] Maple Leaf Bar S. 70
- ⊕147 [bk] Rock 'n' Bowl S. 71
- ⊕148 [G2] Snug Harbor S. 71
- ⊕149 [G2] The Spotted Cat S. 71
- ⊕150 [cn] Tipitina's S. 71
- ❶151 [D5] Cigar Factory New Orleans S. 71
- ❶152 [E4] Crescent City Cigar Shop S. 71
- ⊙153 [E4] N'Awlins Cigar & Coffee S. 71
- ⊕154 [E9] Metropolitan Nightclub S. 72
- ❶155 [E4] Republic S. 72
- •156 [D8] Contemporary Arts Center (CAC) S. 72
- •157 [E9] Ernest N. Morial Convention Center S. 72
- •159 [A9] New Orleans Jazz Market S. 72
- ⊙160 [D5] New Orleans Musical Legends Park S. 72
- ⊕161 [E4] Preservation Hall S. 72
- •162 [fk] NOCCA (New Orleans Center for Creative Arts) S. 73
- •163 [A7] Smoothie King Center S. 73
- ⊙164 [B1] Historic Carver Theater S. 73
- ⊙165 [C4] Joy Theater S. 73
- ⊙166 [E4] Le Petit Theatre S. 73
- ⊙167 [D2] Mahalia Jackson Theater of the Performing Arts S. 73
- ⊙168 [C5] Orpheum Theater S. 73
- ⊙169 [C4] Saenger Theatre S. 73
- ⊙170 [bl] Southern Rep Theatre S. 73
- 🎬171 [E6] Cinebarre Canal Place 9 Movie Theatre S. 73
- 🎬172 [bm] Prytania Theatre S. 74
- •173 [F4] New Orleans Jazz National Historical Park Visitor Center S. 74
- 🛍174 [E6] Canal Place S. 75
- 🛍175 [F4] Shops at Jax Brewery S. 75
- 🛍176 [dm] The Rink S. 75
- 🛍177 [bn] Azby's S. 75
- 🛍178 [cn] Buffalo Exchange S. 75
- 🛍179 [cn] Feet First S. 75
- 🛍180 [E4] Hemline S. 75
- 🛍181 [D5] Meyer The Hatter S. 76
- 🛍182 [cn] Miss Claudia's Vintage Clothing & Costumes S. 76
- 🛍183 [E5] Penelope S. 76
- 🛍184 [F4] Queork (1) S. 76
- 🛍185 [dm] Queork (2) S. 76
- 🛍186 [D5] Rubenstein Bros S. 76
- 🛍187 [E4] Wise Buys S. 76
- 🛍188 [E4] Arcadian Books & Art Prints S. 76
- 🛍189 [E5] Beckham's Bookshop S. 76
- 🛍190 [C5] Crescent City Books S. 76
- 🛍191 [D4] Dauphine Street Books S. 76
- 🛍192 [E4] Faulkner House Books S. 76
- 🛍193 [bn] Octavia Books S. 76
- 🛍194 [G3] Louisiana Music Factory S. 76
- 🛍195 [cn] Peaches Records S. 77
- 🛍196 [gk] Crescent City Farmers Market Baywater S. 77
- 🛍197 [C7] Crescent City Farmers Market Downtown S. 77
- 🛍198 [dj] Crescent City Farmers Market Mid City S. 77
- 🛍199 [am] Crescent City Farmers Market Uptown S. 77
- 🛍200 [A9] Dryades Public Market S. 77
- 🛍201 [G3] French Market Flea Market S. 77
- 🛍202 [C5] Pythian Market S. 77
- 🛍203 [fj] St. Roch Market S. 77
- 🛍205 [F7] The Outlet Collection at Riverwalk S. 77
- 🛍206 [F3] Café Du Monde – Uncle Wilbur's Emporium S. 78
- 🛍207 [E4] Creole Delicacies S. 78
- 🛍208 [D5] Crescent City Cooks! S. 78
- 🛍209 [E5] New Orleans School of Cooking & Louisiana General Store S. 78
- 🛍210 [E4] Rouses S. 78
- 🛍211 [D7] St. James Cheese Co. (1) S. 78

Liste der Karteneinträge

- 🛍212 [cm] St. James Cheese Co. (2) S. 78
- 🛍213 [F4] Tabasco Country Store S. 78
- 🛍214 [E5] Vieux Carré Wine & Spirits S. 78
- 🛍215 [G3] Artist's Market & Bead Shop S. 78
- 🛍216 [dm] Bootsy's Funrock'n S. 78
- 🛍217 [E4] Forever New Orleans S. 78
- 🛍218 [dm] H Rault Locksmiths S. 78
- 🛍219 [F4] Jazz Funeral S. 78
- 🛍220 [E5] Pepper Palace S. 78
- 🛍221 [E4] Roux Royale S. 78
- 🛍222 [F3] Second Line Arts & Antiques S. 78
- ●223 [A7] Union Station S. 103
- ●225 [di] Deutsches Honorarkonsulat S. 105
- ●226 [D8] Österreichisches Honorarkonsulat S. 105
- ❶227 [em] New Orleans & Company (NOCVB) S. 108
- ❶228 [F4] NOCVB Visitor Center/Louisiana Office of Tourism Welcome Center S. 109
- ❶229 [E5] Jean Lafitte NHP – French Quarter Visitor Center S. 109
- ✚230 [D8] Ochsner Urgent Care S. 113
- ✚231 [E5] Ochsner Urgent Care – French Quarter S. 113
- ✚232 [C6] CBD Dental Care S. 113
- ✚233 [an] Children's Hospital of New Orleans S. 113
- ✚234 [B5] Tulane Medical Center S. 113
- ✚235 [D5] Walgreen's (1) S. 113
- ✚236 [C5] Walgreen's (2) S. 113
- ➤237 [D5] New Orleans Police Department (1) S. 114
- ➤238 [D3] New Orleans Police Department (2) S. 114
- ✉239 [B7] US Post Office (1) S. 115
- ✉240 [D7] US Post Office (2) S. 115
- 🛍241 [G2] Frenchmen Art & Books S. 116
- ❶242 [ck] LGBT Community Center of New Orleans S. 116
- ❶243 [E3] Bourbon Pub S. 116
- ❶244 [E3] Café Lafitte in Exile S. 116
- ❶245 [E3] Good Friends Bar S. 116
- ❶246 [E3] Oz S. 116
- 🏠247 [G1] Aaron Ingram Haus S. 116
- 🏠248 [fj] Burgundy Bed and Breakfast S. 116
- 🅂249 [am] Audubon Park S. 118
- 🏠250 [D4] Hotel Le Marais S. 124
- 🏠251 [D3] Maison Dupuy S. 124
- 🏠252 [E3] The Cornstalk Hotel S. 124
- 🏠253 [C5] The Roosevelt S. 124
- 🏠254 [C5] The Saint Hotel S. 124
- 🏠255 [E5] Bienville House Hotel S. 125
- 🏠256 [E4] Bourbon Orleans Hotel S. 125
- 🏠257 [D4] Dauphine Orleans S. 125
- 🏠258 [G3] Frenchmen Hotel S. 125
- 🏠259 [D5] Hotel Mazarin S. 125
- 🏠260 [B4] Jung Hotel & Residences S. 125
- 🏠261 [D6] International House S. 126
- 🏠262 [D5] Monteleone Hotel S. 126
- 🏠263 [C5] MOXY New Orleans S. 126
- 🏠264 [C10] Prytania Park Hotel S. 126
- 🏠265 [D6] The Eliza Jane S. 126
- 🏠266 [D7] The Old No. 77 Hotel & Chandlery S. 126
- 🏠267 [D6] The Whitney Hotel S. 126
- 🏠268 [C10] 1415 Creole Gardens Guest House S. 126
- 🏠269 [D4] Hotel St. Marie S. 127
- 🏠270 [F3] Inn on Ursulines S. 127
- 🏠271 [E4] Place d'Armes Hotel S. 127
- 🏠272 [C8] The Hotel Modern S. 127
- 🏠273 [fj] Historic Creole Lodge S. 127
- 🏠274 [C5] HI USA NOLA Hostel S. 127
- 🏠275 [dj] India House Backpackers Hostel S. 127
- 🏠276 [ej] Degas House S. 127
- 🏠277 [ej] HH Whitney House S. 127
- 🏠278 [D2] Jazz Quarters S. 127

Hier nicht aufgeführte Nummern liegen außerhalb der abgebildeten Karten. Ihre Lage kann aber wie die von allen Ortsmarken im Buch mithilfe der Web-App angezeigt werden (s. S. 144).

New Orleans mit PC, Smartphone & Co.

QR-Code auf dem Umschlag scannen oder www.reise-know-how.de/citytrip/neworleans19 eingeben und die **kostenlose Web-App** aufrufen (Internetverbindung zur Nutzung nötig)!

★ **Anzeige der Lage und Satellitenansicht aller** beschriebenen Sehenswürdigkeiten und weiteren Orte
★ **Routenführung** vom aktuellen Standort zum gewünschten Ziel
★ **Exakter Verlauf** des empfohlenen Stadtspaziergangs
★ **Audiotrainer** der wichtigsten Wörter und Redewendungen
★ **Updates** nach Redaktionsschluss

GPS-Daten zum Download
Die GPS-Daten aller Ortsmarken und des Stadtspaziergangs können hier geladen werden: www.reise-know-how.de, dann das Buch aufrufen und zur Rubrik „Datenservice" scrollen.

Stadtplan für mobile Geräte
Um den Stadtplan auf Smartphones und Tablets nutzen zu können, empfehlen wir die App „Avenza Maps" der Firma Avenza™. Der Stadtplan wird aus dieser App heraus geladen und kann dann mit vielen Zusatzfunktionen genutzt werden.

Die Web-App und der Zugriff auf diese über QR-Codes sind eine freiwillige, kostenlose Zusatzleistung des Verlages. Der Verlag behält sich vor, die Bereitstellung des Angebotes und die Möglichkeit der Nutzung zeitlich und inhaltlich zu beschränken. Der Verlag übernimmt keine Garantie für das Funktionieren der Seiten und keine Haftung für Schäden, die aus dem Gebrauch der Seiten resultieren. Es besteht ferner kein Anspruch auf eine unbefristete Bereitstellung der Seiten.

Zeichenerklärung

39	Hauptsehenswürdigkeit
[D5]	Verweis auf Planquadrat im City-Faltplan
✚ ✚	Arzt, Apotheke, Krankenhaus
	Bar, Bistro, Klub, Treffpunkt
	Bibliothek
	Biergarten, Kneipe, Pub
	Café
	Denkmal
	Fischrestaurant
†	Friedhof
	Galerie
	Geschäft, Kaufhaus, Markt
	Hotel, Unterkunft, Apartment
	Imbiss
	Informationsstelle
	Jugendherberge, Hostel
	Kino
	Kirche
	Museum
	Musikszene, Disco
	Pension, Bed & Breakfast, Inn
✉	Post
	Polizei
	Restaurant
★	Sehenswürdigkeit
	Sport-/Spieleinrichtung
•	Sonstiges
	Theater
	Vegetarisches Restaurant
○	Streetcar-Linie
—	Stadtspaziergang (s. S. 11)
	Shoppingareale
	Gastro- und Nightlife-Areale